#하루에_조금씩
#쑥쑥_크는
#어휘력 #사고력

똑똑한
하루 어휘

Chunjae
Makes
Chunjae

▼

[똑똑한 하루 어휘 한글 익히기] 예비초 A

편집개발 김한나, 김주남, 안정아
디자인총괄 김희정
표지디자인 윤순미, 안채리
내지디자인 박희춘, 이혜미
일러스트 김수정, 이은영
제작 황성진, 조규영

발행일 2021년 12월 15일 초판 2023년 1월 15일 2쇄
발행인 (주)천재교육
주소 서울시 금천구 가산로9길 54
신고번호 제2001-000018호
고객센터 1577-0902

※ 정답 분실 시에는 천재교육 교재 홈페이지에서 내려받으세요.
※ KC 마크는 이 제품이 공통안전기준에 적합하였음을 의미합니다.
※ 주의
책 모서리에 다칠 수 있으니 주의하시기 바랍니다.
부주의로 인한 사고의 경우 책임지지 않습니다.
8세 미만의 어린이는 부모님의 관리가 필요합니다.

똑 똑 한

하루 어휘

한글 익히기

어떤 책인가요?

한글 기초 능력

한글 기초 능력을 키우는 교재
- 자음자, 모음자 익히기
- 받침 익히기

글자의 원리

한글의 짜임을 이해하는 교재
- 낱자의 조합을 자연스럽게 이해
- 붙임 딱지로 글자의 짜임 이해

어휘와 한글

한글과 어휘력을 함께 다지는 교재
- 어휘를 통해 한글 익히기
- 낱말 그림으로 어휘의 폭 넓히기

✂ 자르는 선

똑 똑 한

하루 어휘

총 14권

한글 익히기

예비초등 A　예비초등 B

예비초등

***권장 대상:** 5~7세 예비 초등
한글을 배우는 아동

- 자음자, 모음자, 받침 등 한글 기초 교재
- 붙임 딱지를 붙이며 한글의 짜임을 이해
- 한글을 익히며 자연스럽게 어휘력 키우기

맞춤법 + 받아쓰기

1단계 A, B / 2권

2단계 A, B / 2권

1~2단계

***권장 대상:** 초등 1학년 ~ 초등 2학년
한글에 익숙한 예비 초등

- 어휘로 공부하는 받아쓰기 교재
- 소리와 글자가 다른 낱말 집중 학습
- QR을 이용한 실전 받아쓰기

3단계 A, B / 2권

4단계 A, B / 2권

3~4단계

***권장 대상:** 초등 3학년 ~ 초등 4학년
어휘력이 필요한 초등 2학년

- 마인드맵, 꼬리물기 어휘 학습
- 주제 어휘, 알쏭 어휘, 교과 어휘,
  한자 어휘 중심
- 어휘의 관계를 중심으로 말의 감각을
  키워 주는 어휘 전문 교재

5단계 A, B / 2권

6단계 A, B / 2권

5~6단계

***권장 대상:** 초등 5학년 ~ 초등 6학년
어휘력이 필요한 초등 4학년

- 해시태그(#) 유사 어휘 퀴즈 학습
- 생활 어휘, 교과 어휘, 한자 어휘 중심
- 속담, 관용어, 사자성어를 중심으로 어휘의
  폭을 넓혀 주는, 고학년 어휘 전문 교재

똑 똑 한

하루 어휘

한글

예비초 A

차례

똑똑한 하루 어휘 한글

- **하루 4쪽** 학습으로 한글 공부를 더 즐겁게!
- 다양한 낱말을 통한 학습으로 **어휘력**을 풍부하게!
- **그림**과 **붙임 딱지**를 통해 한글 공부를 더 재미있게!
- 낱자 학습(1권) ➡ 글자의 짜임(2권) 순서로 한글을 **체계적**으로!

1주

구성과 특징

똑똑한 하루 어휘 한글

1 일주일 공부 시작

재미있는 이야기를 읽으며 배울 내용을 확인해요!

붙임 딱지를 활용하여 배울 글자를 익혀요!

2 하루하루 공부하기

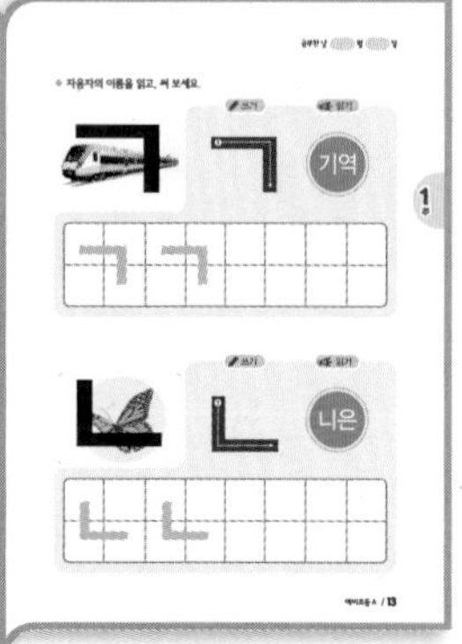

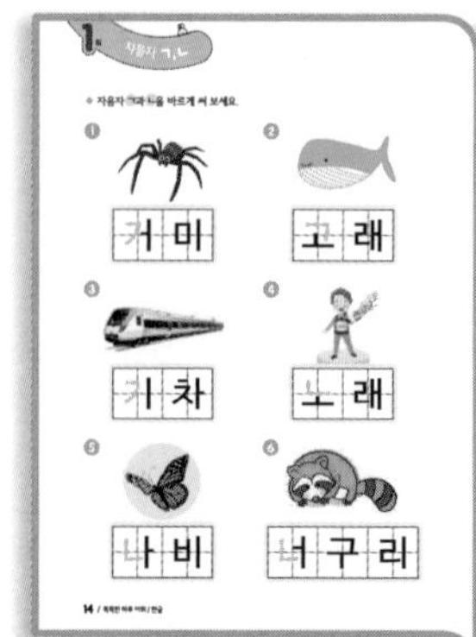

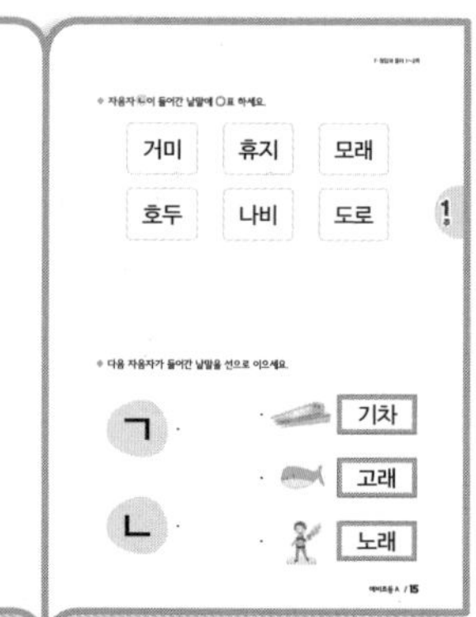

그림을 보며 오늘 배울 글자를 확인해요!

바르게 쓰고 읽는 법을 배워요!

여러 가지 낱말을 통해 글자를 익히며 어휘력을 높여요!

재미있는 활동으로 배운 내용을 확인해요!

일주일 공부 마무리

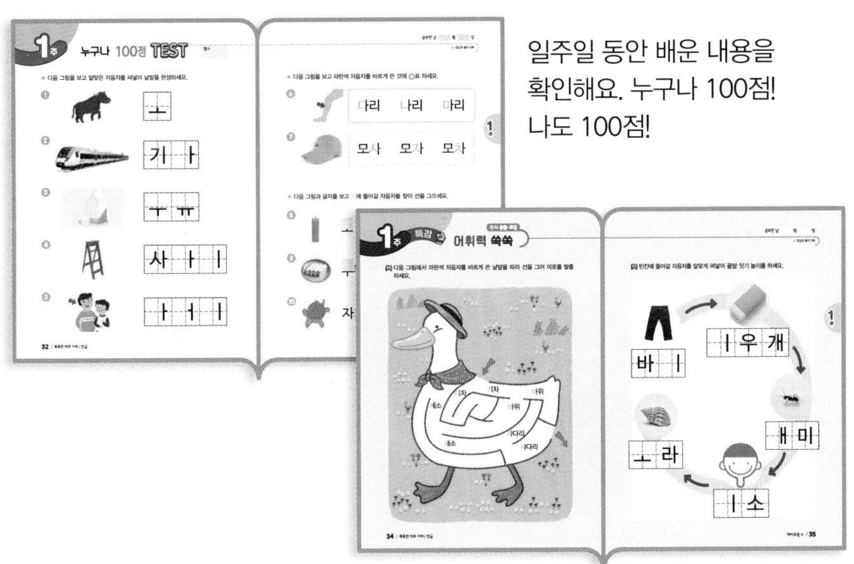

일주일 동안 배운 내용을
확인해요. 누구나 100점!
나도 100점!

재미있는 퀴즈를
풀며 배운 내용을
복습해요!

한 권 마무리

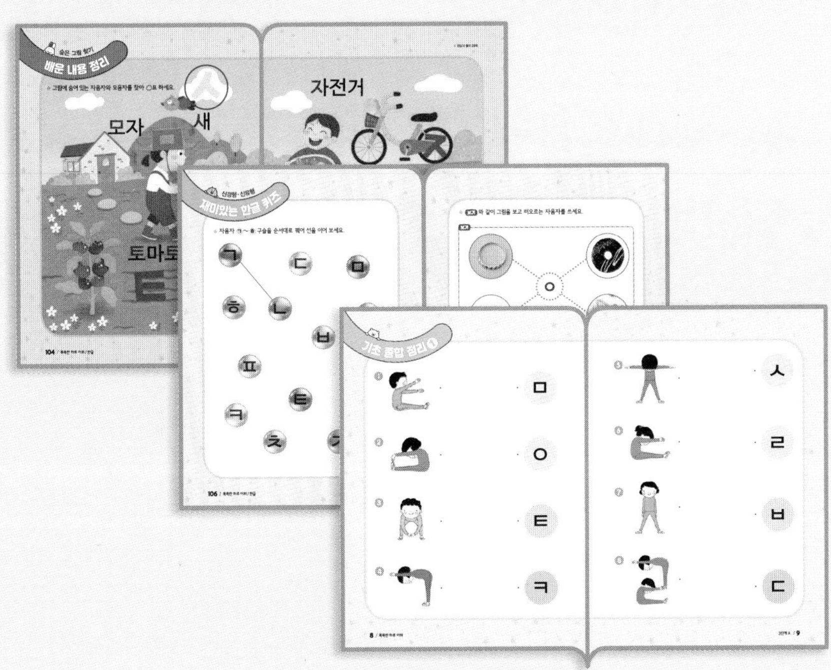

한 권에서 배운 내용을
한 번에 마무리!
다양한 문제로
한 권 전체 내용을
완벽하게 익혀요!

바른 자세로 글씨를 써요

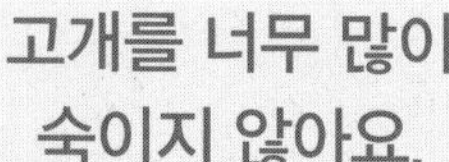

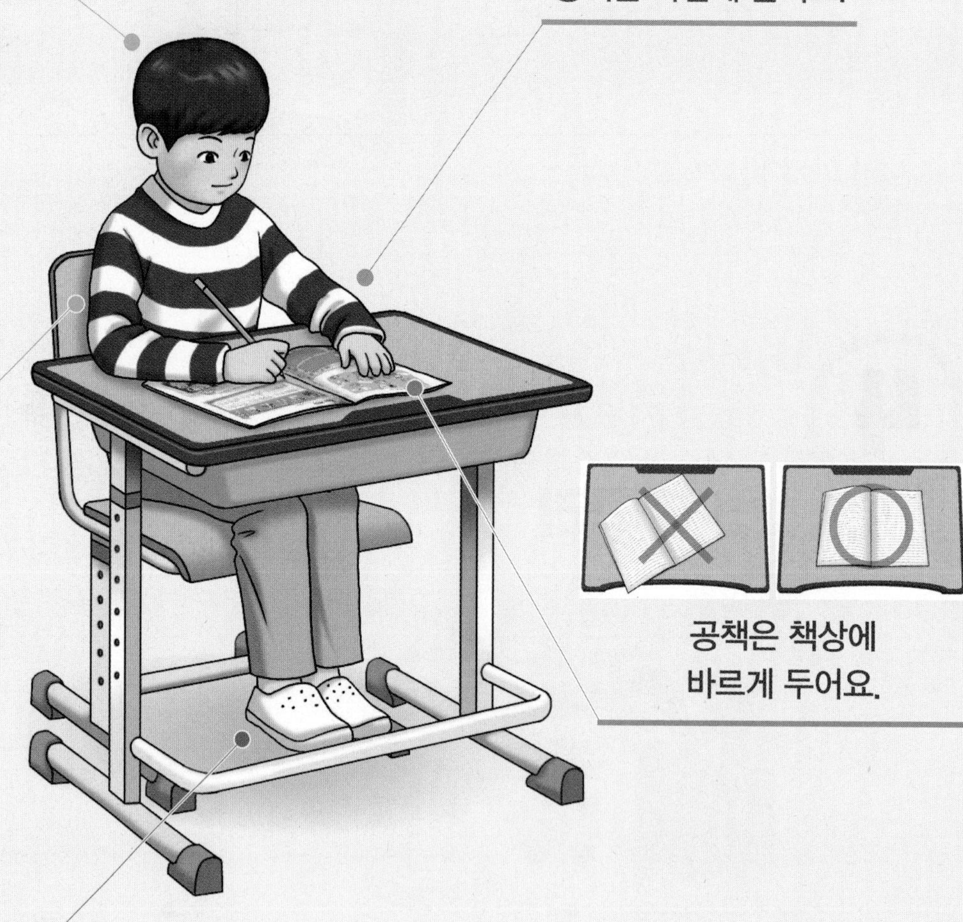

고개를 너무 많이
숙이지 않아요.
글씨를 쓰지 않는
손으로
공책을 가볍게 눌러요.
허리를 곧게 펴고,
엉덩이를 의자 뒤쪽에
붙여 앉아요.
공책은 책상에
바르게 두어요.
두 발은
가지런히 모아서
바닥에 닿게 해요.

연필을 바르게 잡아요

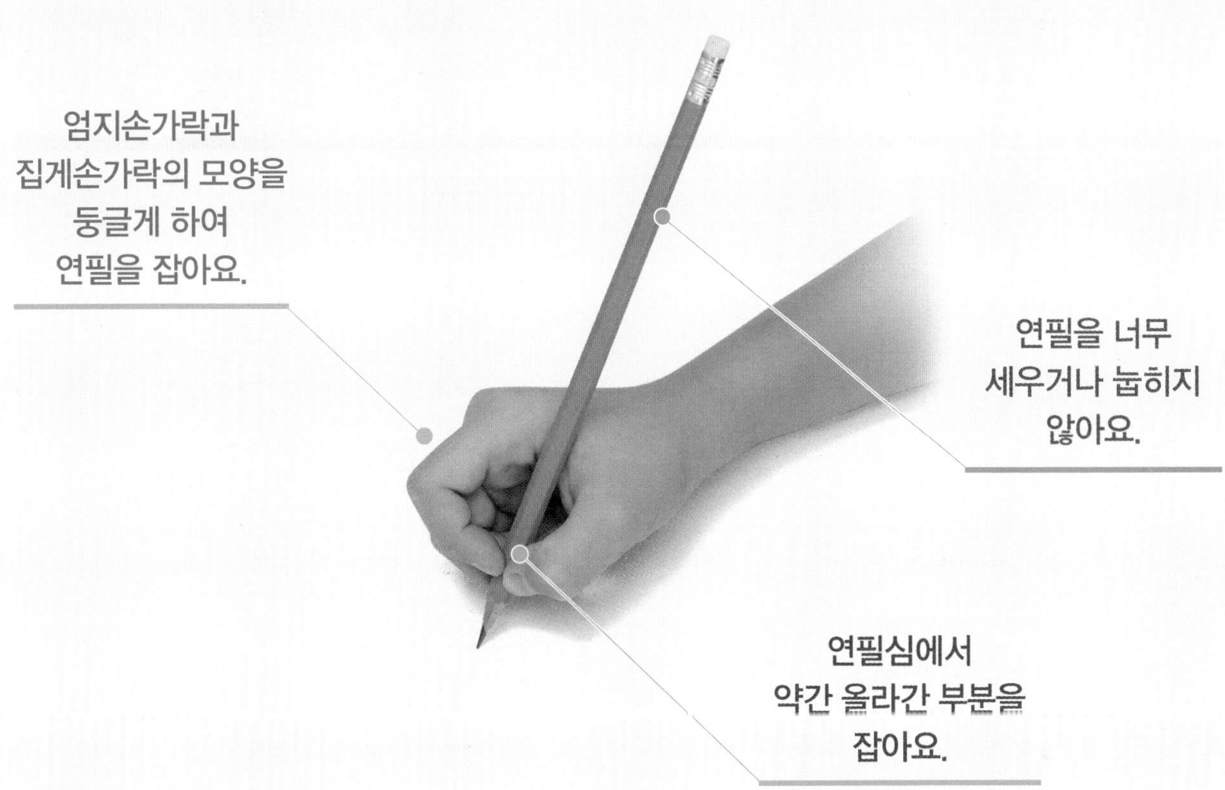
엄지손가락과
집게손가락의 모양을
둥글게 하여
연필을 잡아요.
연필을 너무
세우거나 눕히지
않아요.
연필심에서
약간 올라간 부분을
잡아요.

선을 따라 그려 보아요

1주

1주에는 무엇을 공부할까? ①

자음자를 배워요 (ㄱ~ㅊ)

1일 자음자 ㄱ, ㄴ

토끼야, 나랑 같이
용왕님께 가자!

2일 자음자 ㄷ, ㄹ

다리를 건너서~

3일 자음자 ㅁ, ㅂ
문어 아주머니,
반가워요!

4일 자음자 ㅅ, ㅇ
상어 아저씨도
안녕하세요?

5일 자음자 ㅈ, ㅊ
자라야,
왔니?
초대해 주셔서
고맙습니다.

1주에는 무엇을 공부할까? ❷

자음자를 배워요(ㄱ~ㅊ)

✪ 자음자 모양을 몸으로 잘 표현한 친구를 붙임 딱지에서 찾아 붙이세요.

ㄱ

ㄴ

ㄷ

ㄹ

ㅁ

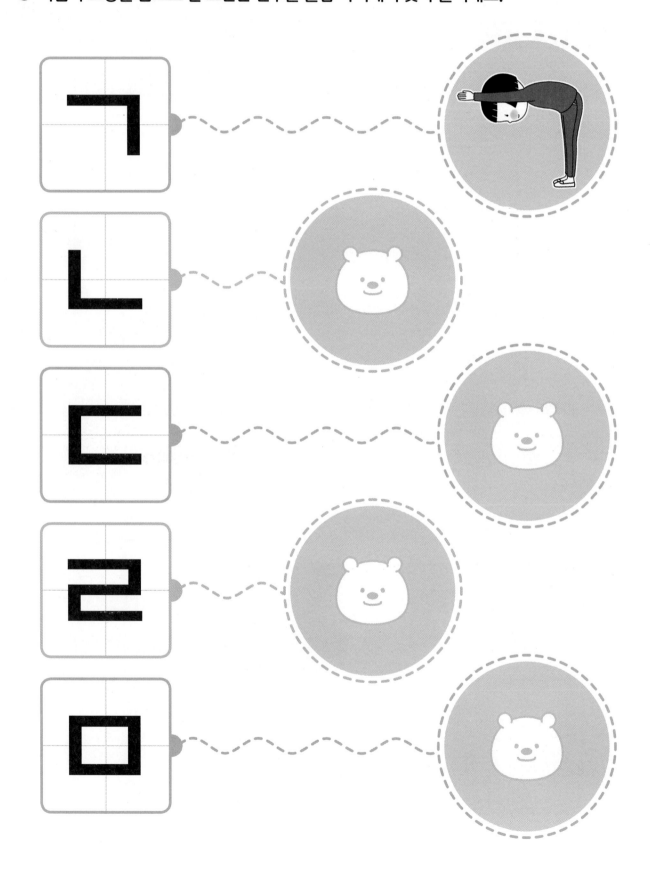

◐ 정답과 풀이 1쪽

붙임 딱지 1쪽

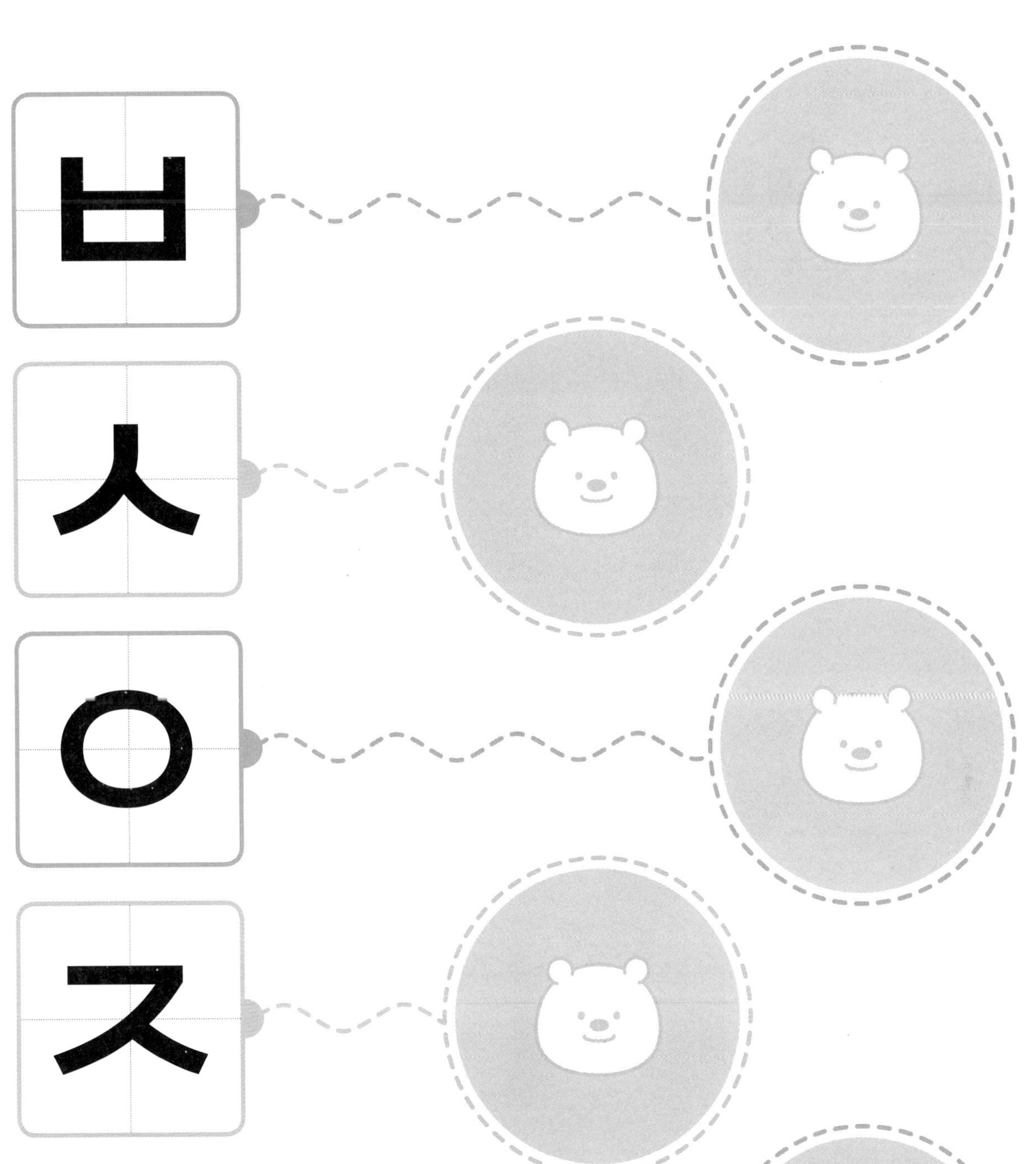

1주

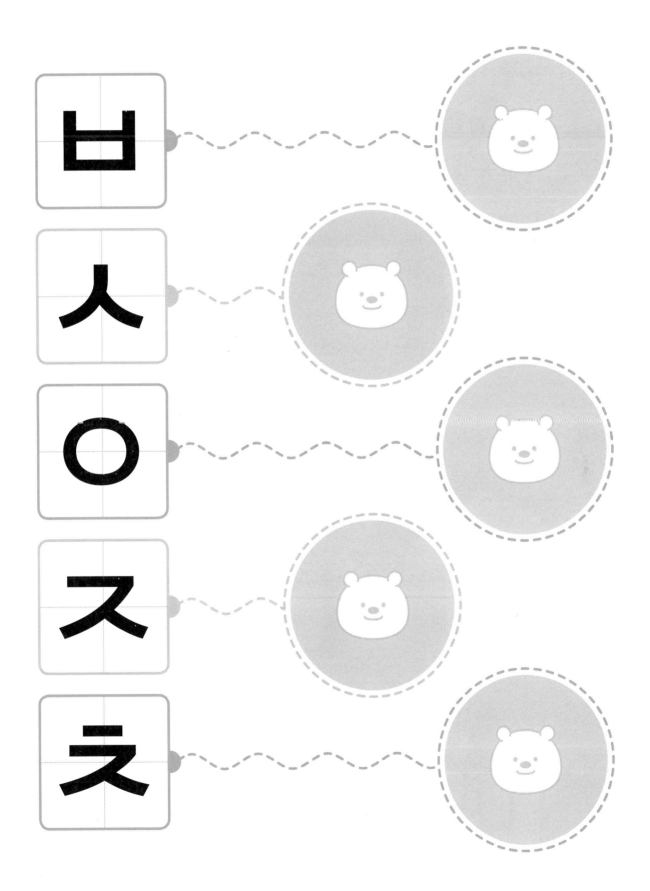

1일
자음자 ㄱ, ㄴ
빨간색으로 쓴 자음자를 붙임 딱지에서 찾아 붙이세요.
붙임 딱지 2쪽
기차
거미
나비

◆ 자음자의 이름을 읽고, 써 보세요.

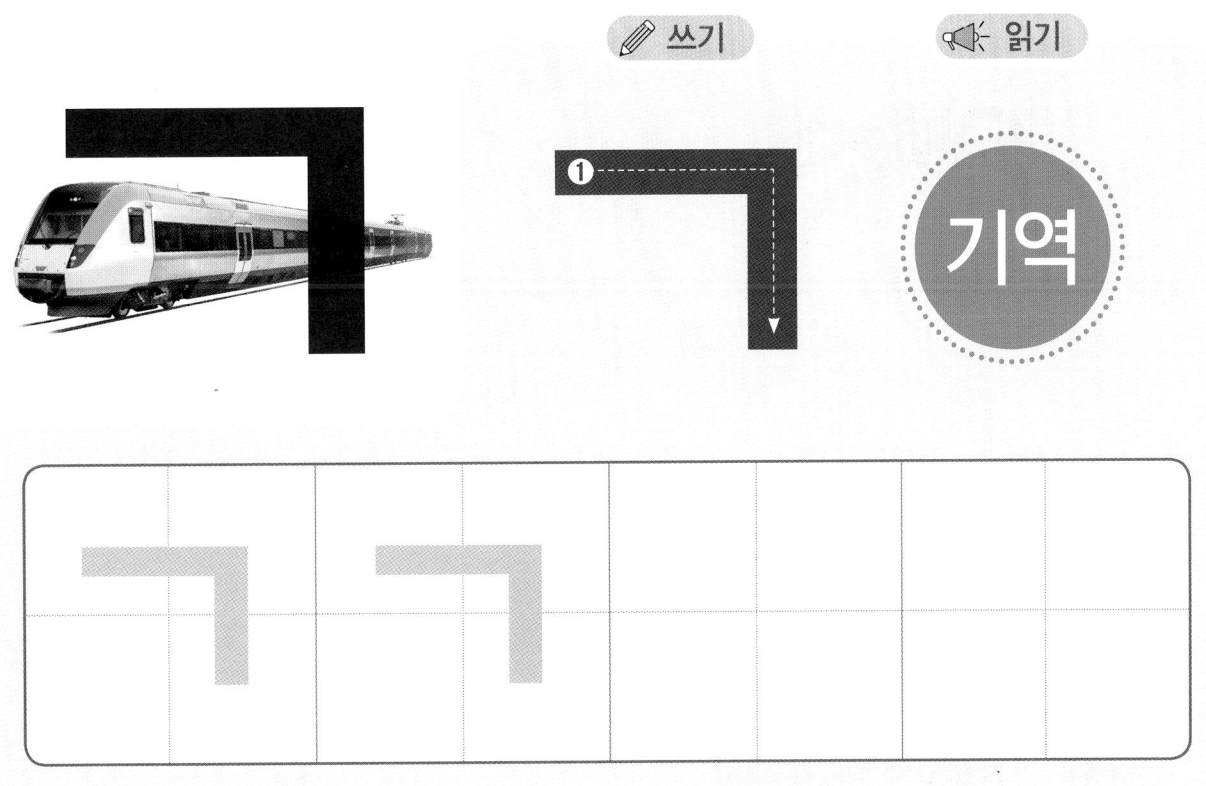

1일 자음자 ㄱ, ㄴ

◆ 자음자 ㄱ과 ㄴ을 바르게 써 보세요.

◆ 자음자 ㄴ이 들어간 낱말에 ○표 하세요.

거미	휴지	모래
호두	나비	도로

◆ 다음 자음자가 들어간 낱말을 선으로 이으세요.

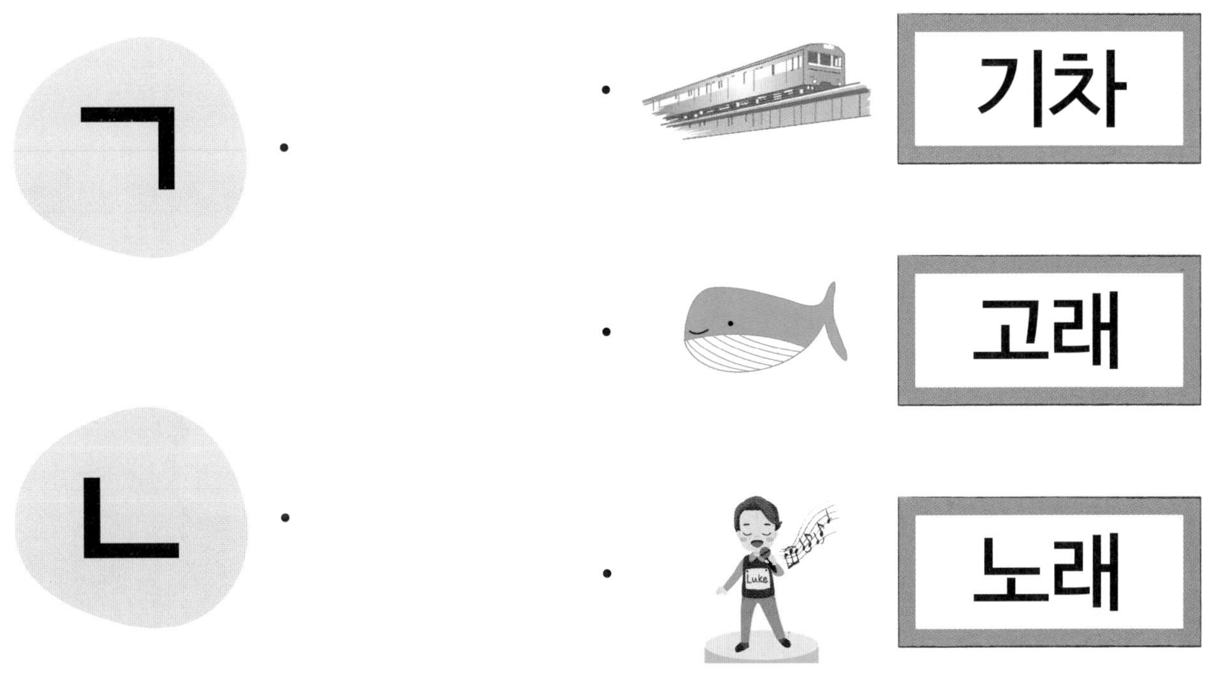

2일 자음자 ㄷ, ㄹ

빨간색으로 쓴 자음자를 붙임 딱지에서 찾아 붙이세요.

붙임 딱지 2쪽

◆ 자음자의 이름을 읽고, 써 보세요.

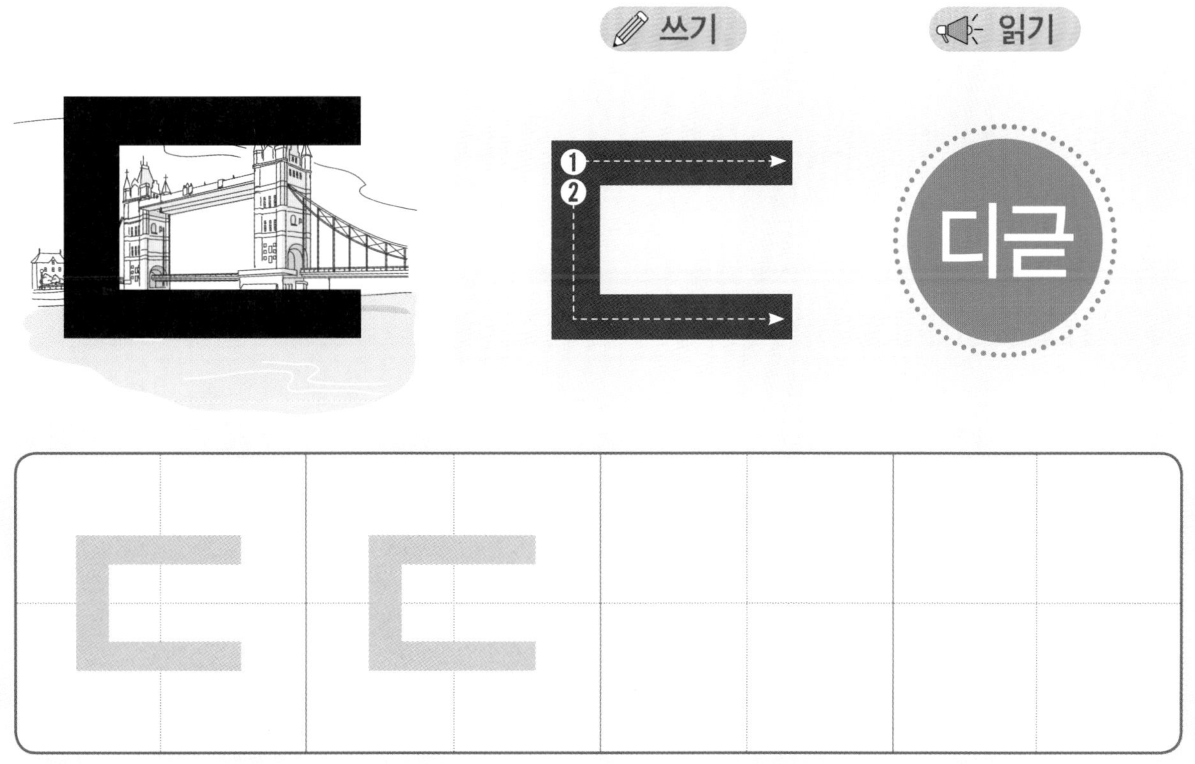

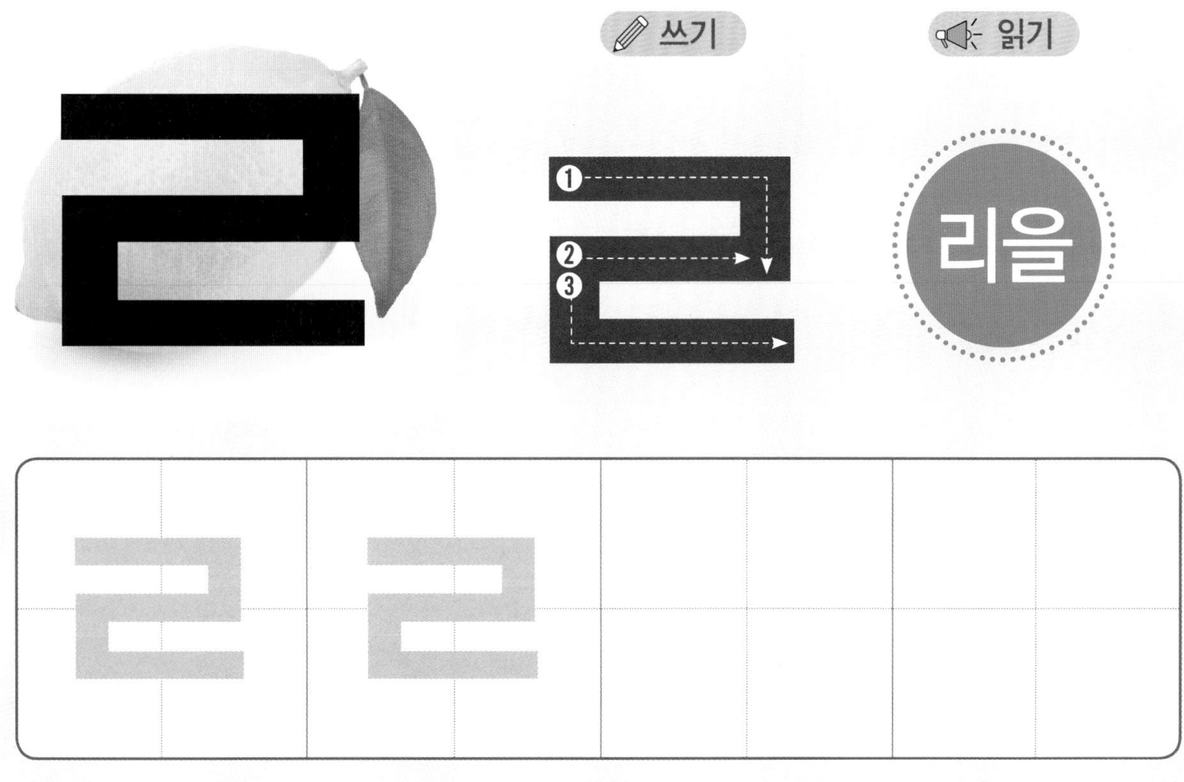

2일 자음자 ㄷ, ㄹ

◆ 자음자 ㄷ과 ㄹ을 바르게 써 보세요.

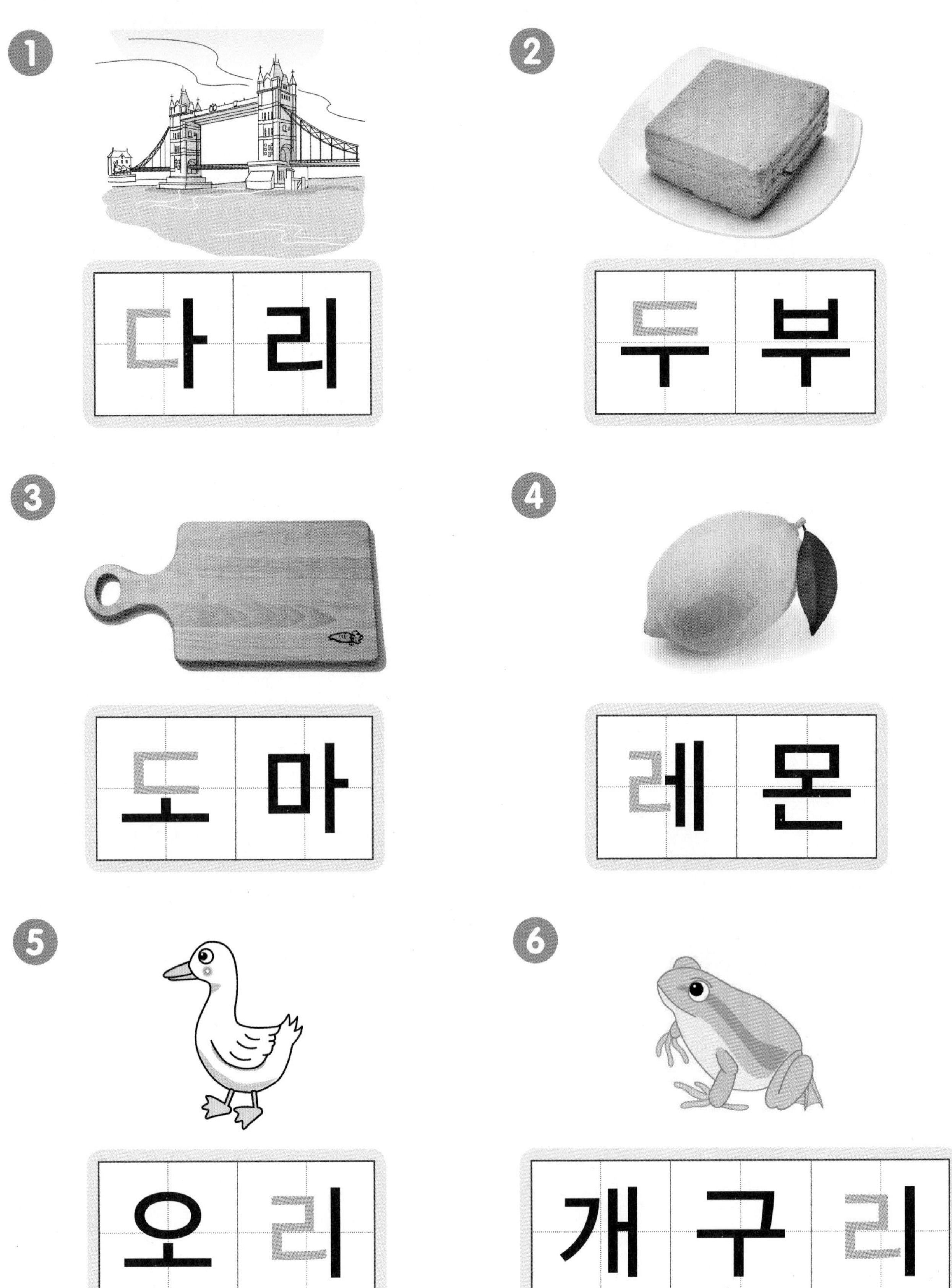

◆ 자음자 ㄷ과 ㄹ이 들어간 낱말을 선으로 이으세요.

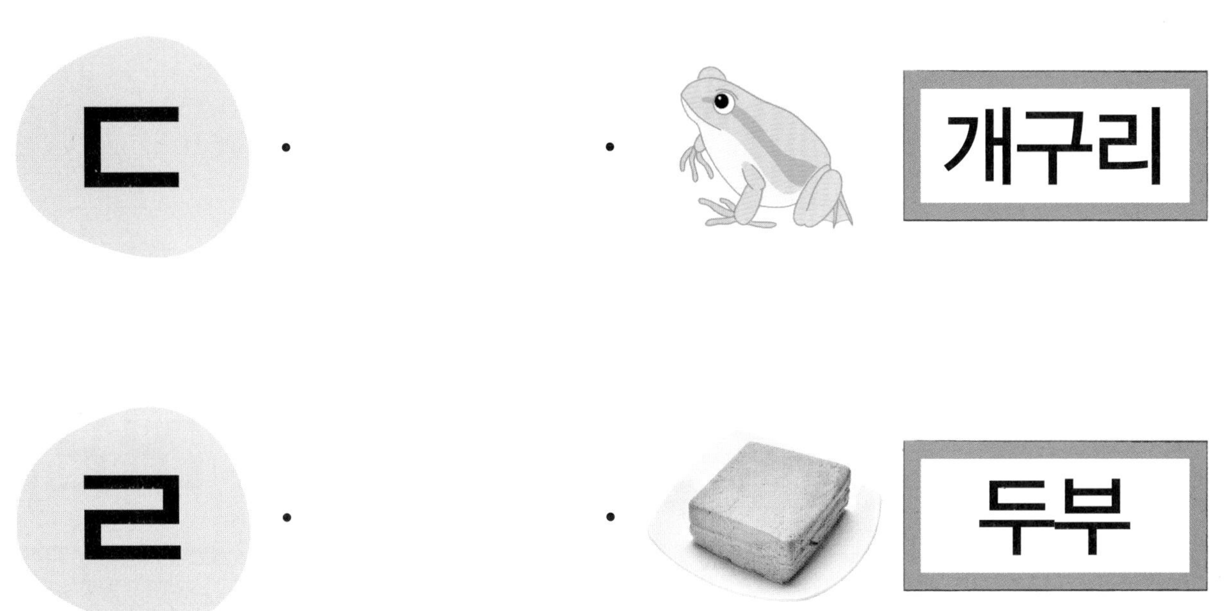

◆ 자음자 ㄷ이 들어간 낱말에 ○표 하세요.

3일 자음자 ㅁ, ㅂ

빨간색으로 쓴 자음자를 붙임 딱지에서 찾아 붙이세요.

붙임 딱지 2쪽

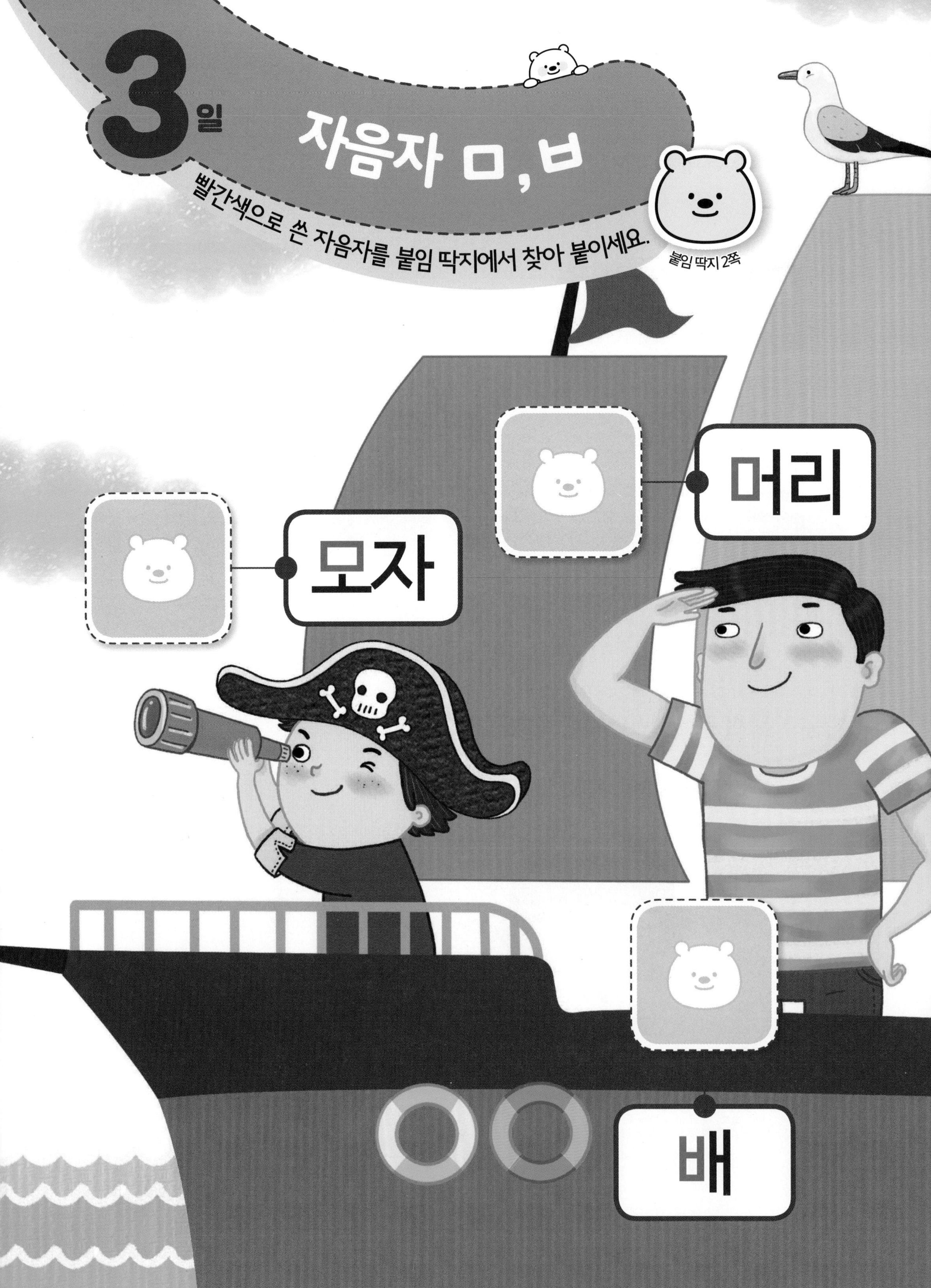

◆ 자음자의 이름을 읽고, 써 보세요.

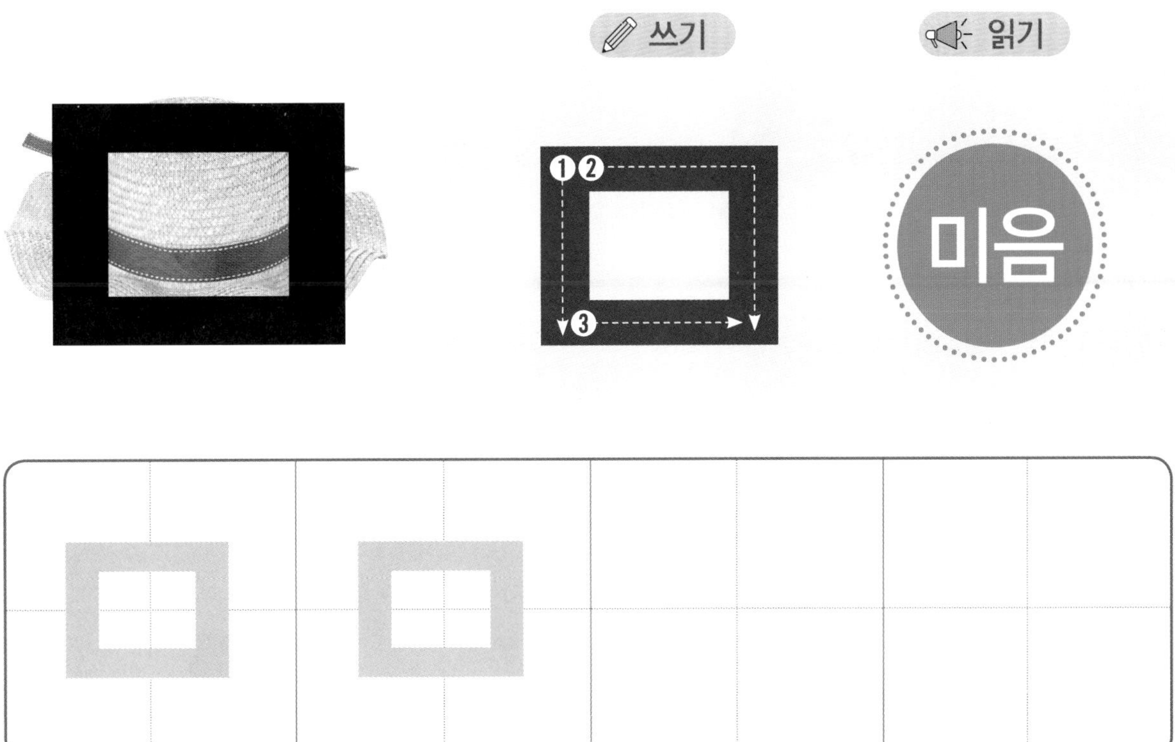

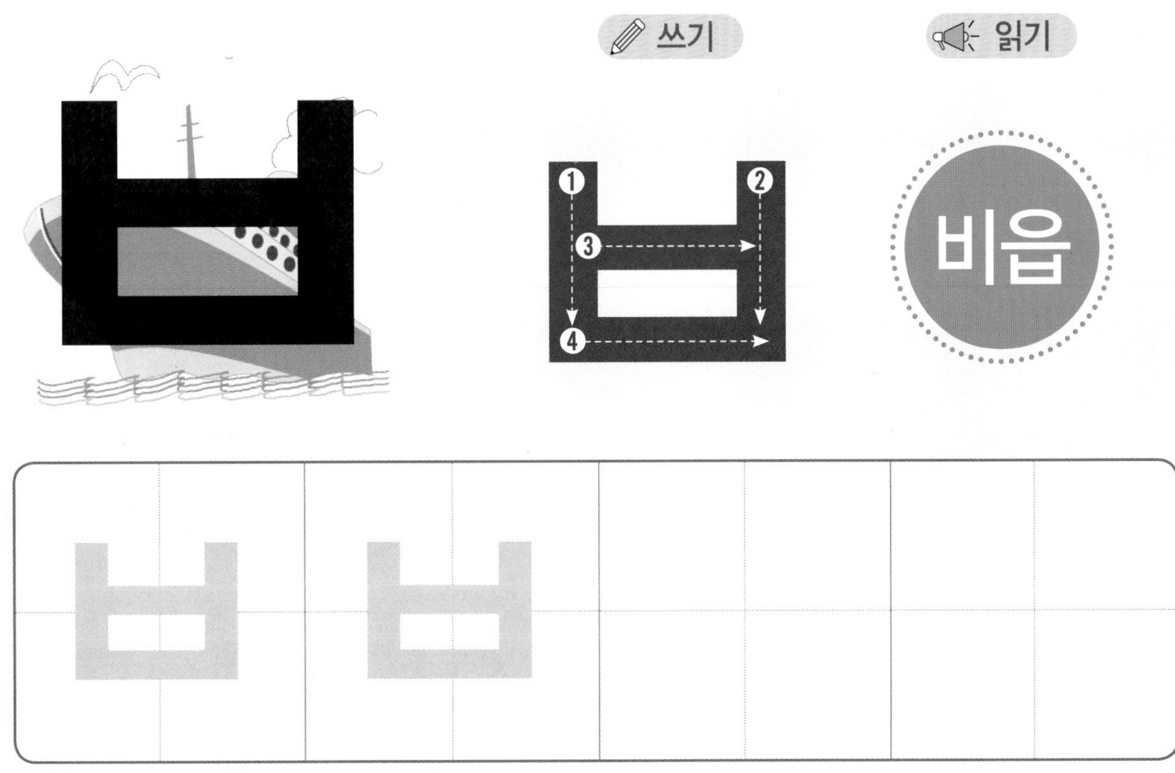

3일 자음자 ㅁ, ㅂ

◆ 자음자 ㅁ과 ㅂ을 바르게 써 보세요.

◆ ▢에 들어갈 자음자를 선으로 이으세요.

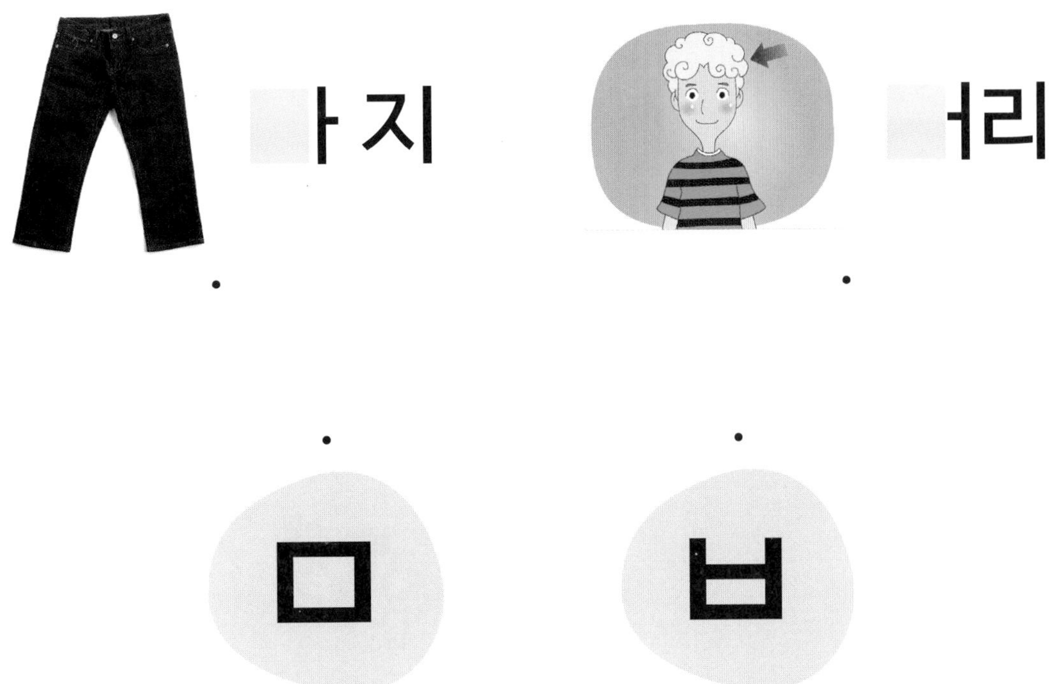

◆ 자음자 ㅁ이 들어간 치즈에 ○표, 자음자 ㅂ이 들어간 치즈에 △표 하세요.

4 일
자음자 ㅅ, ㅇ
빨간색으로 쓴 자음자를 붙임 딱지에서 찾아 붙이세요.
붙임 딱지 2쪽
새
아기
어머니

◆ 자음자의 이름을 읽고, 써 보세요.

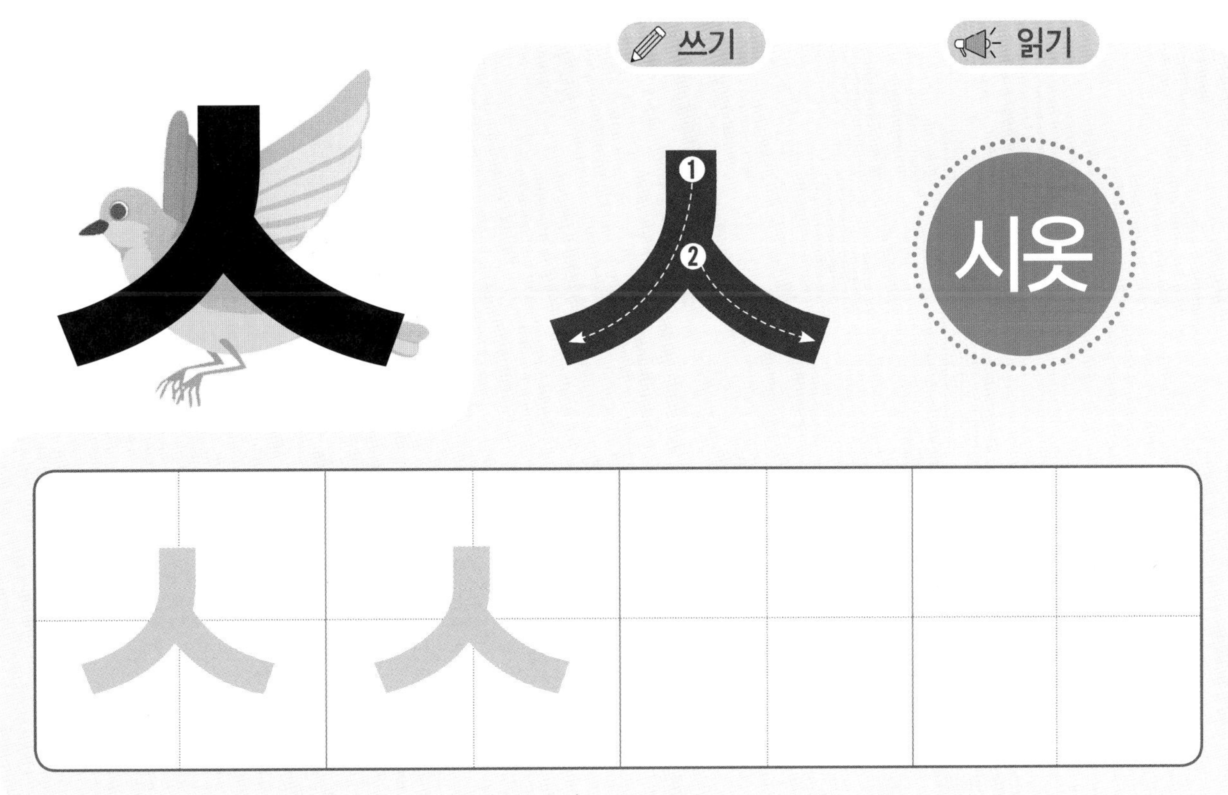

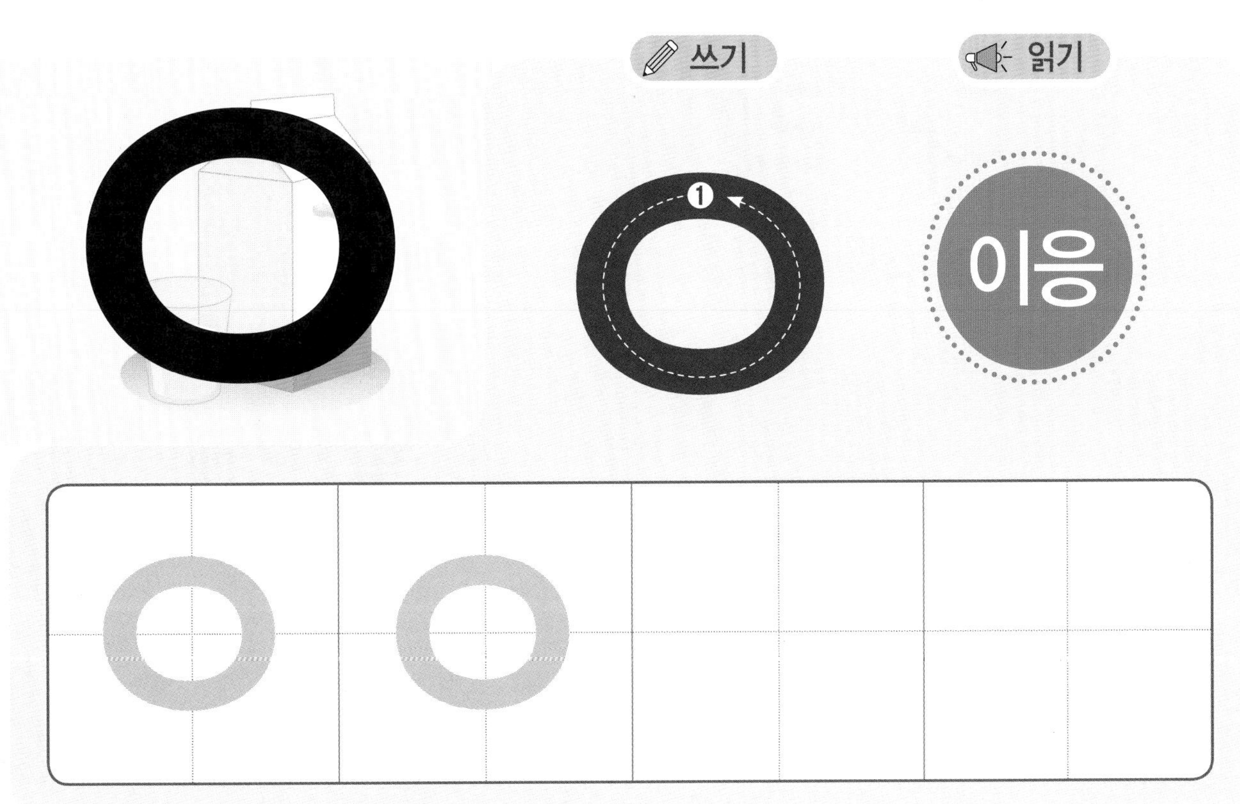

4일 자음자 ㅅ, ㅇ

◆ 자음자 ㅅ과 ㅇ을 바르게 써 보세요.

◆ 자음자 ㅅ이 들어간 낱말을 바르게 쓴 것에 ○표 하세요.

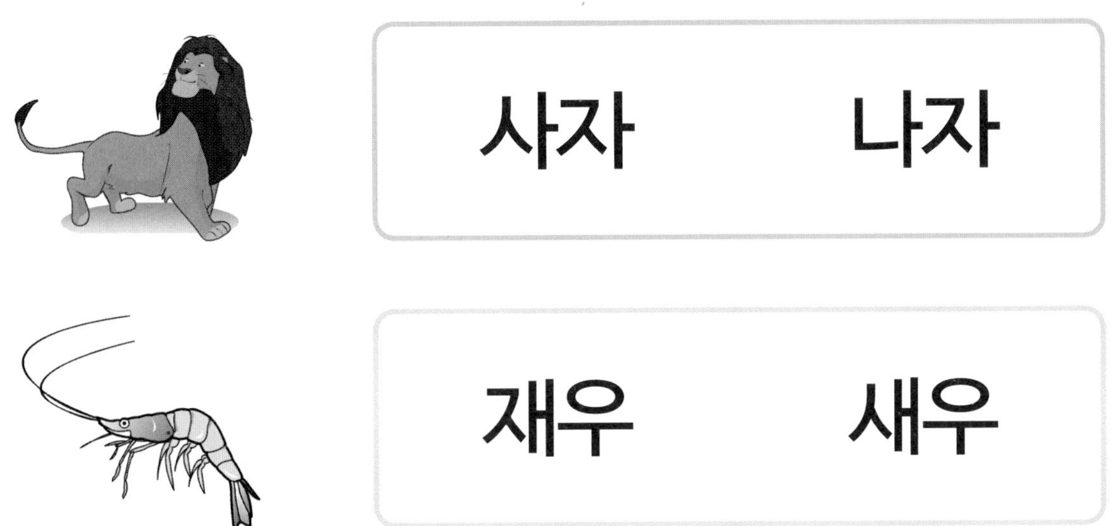

◆ 자음자 ㅇ이 들어간 땅콩에 모두 색질하세요.

5일 자음자 ㅈ, ㅊ

빨간색으로 쓴 자음자를 붙임 딱지에서 찾아 붙이세요.

붙임 딱지 2쪽

◆ 자음자의 이름을 읽고, 써 보세요.

읽기

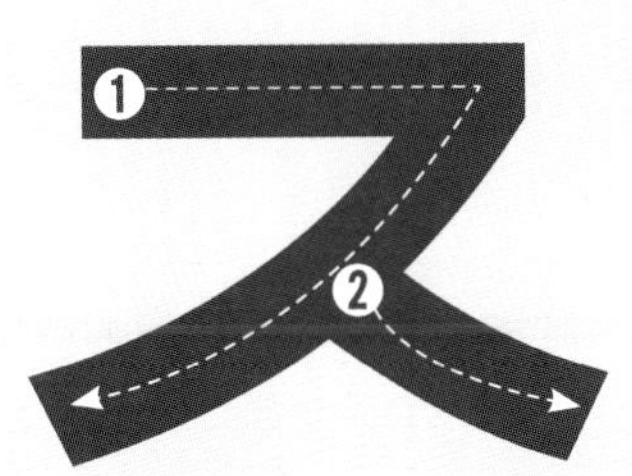

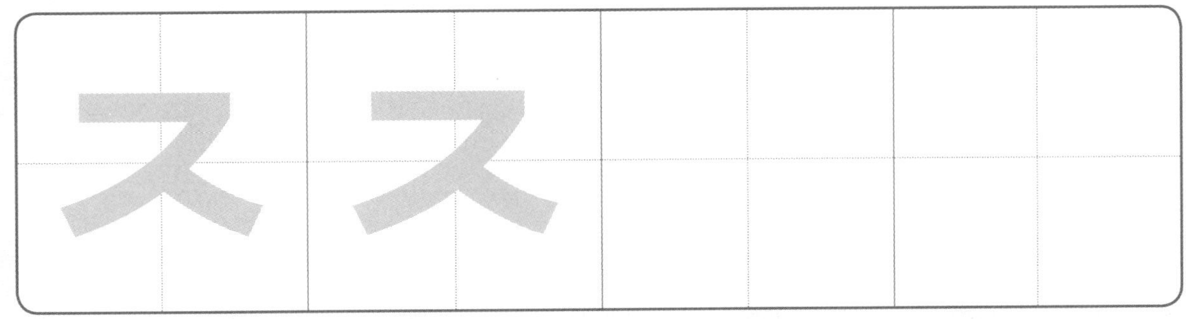

읽기

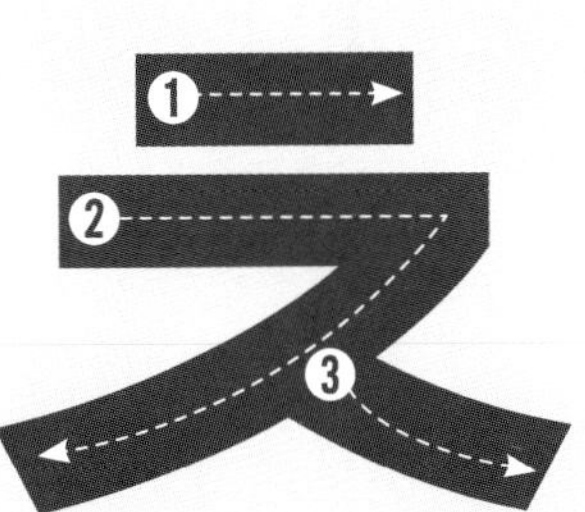

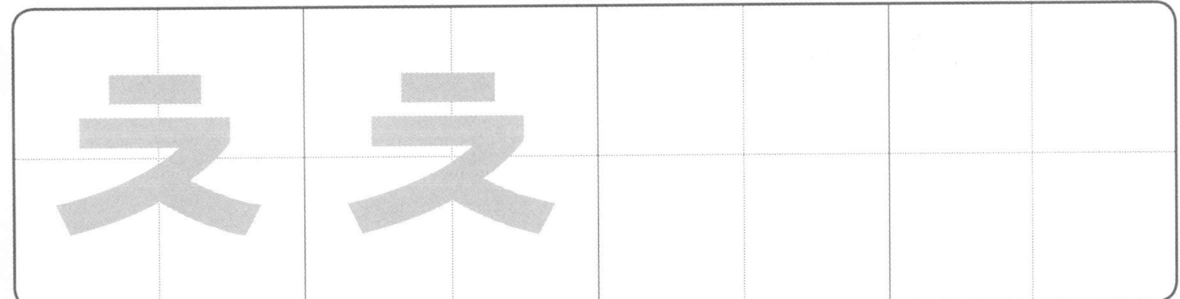

1주

5일 자음자 ㅈ, ㅊ

◆ 자음자 ㅈ과 ㅊ을 바르게 써 보세요.

◆ 자음자 ㅈ과 ㅊ이 들어간 낱말을 선으로 이으세요.

ㅈ　　ㅊ

치타　　자두　　후추　　지구

◆ 자음자 ㅊ이 들어간 가방을 모두 찾아 색칠하세요.

1주 누구나 100점 TEST

점수

◆ 다음 그림을 보고 알맞은 자음자를 써넣어 낱말을 완성하세요.

1

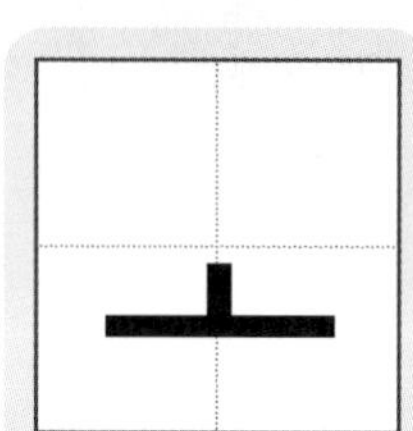

2

3

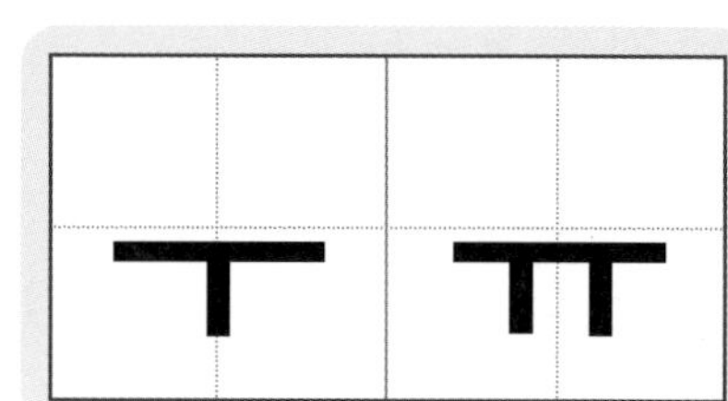

4

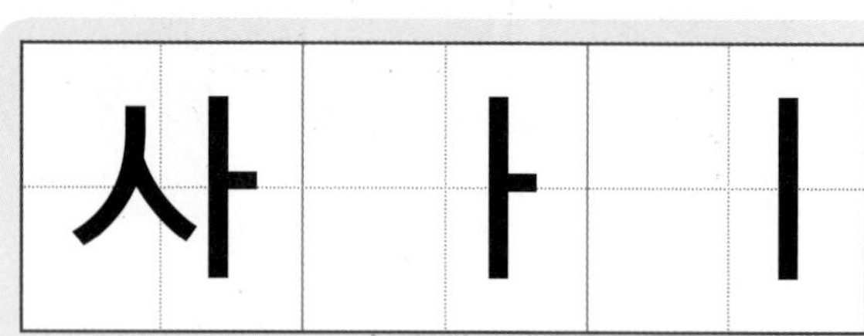

5

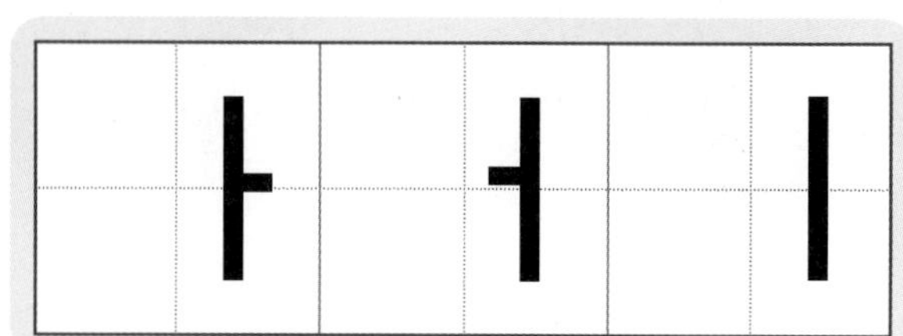

◐ 정답과 풀이 6쪽

◆ 다음 그림을 보고 파란색 자음자를 바르게 쓴 것에 ○표 하세요.

6 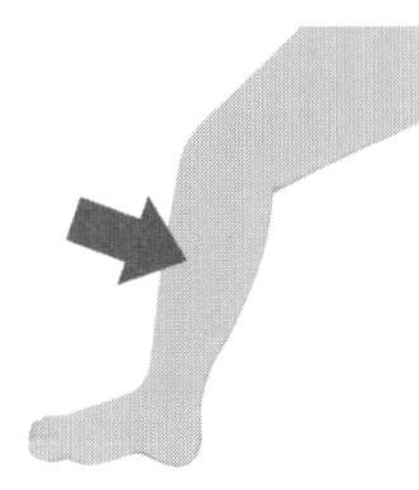

다리 나리 마리

7 

모사 모자 모차

◆ 다음 그림과 글자를 보고 에 들어갈 자음자를 찾아 선을 그으세요.

8 

ㅗ · · ㄷ

9 

ㅜ부 · · ㄹ

10 

자ㅏ · · ㅊ

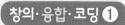

어휘력 쑥쑥

다음 그림에서 파란색 자음자를 바르게 쓴 낱말을 따라 선을 그어 미로를 탈출하세요.

디차

기차

마위

세소

바위

자다리

채소

사다리

빈칸에 들어갈 자음자를 알맞게 써넣어 끝말 잇기 놀이를 하세요.

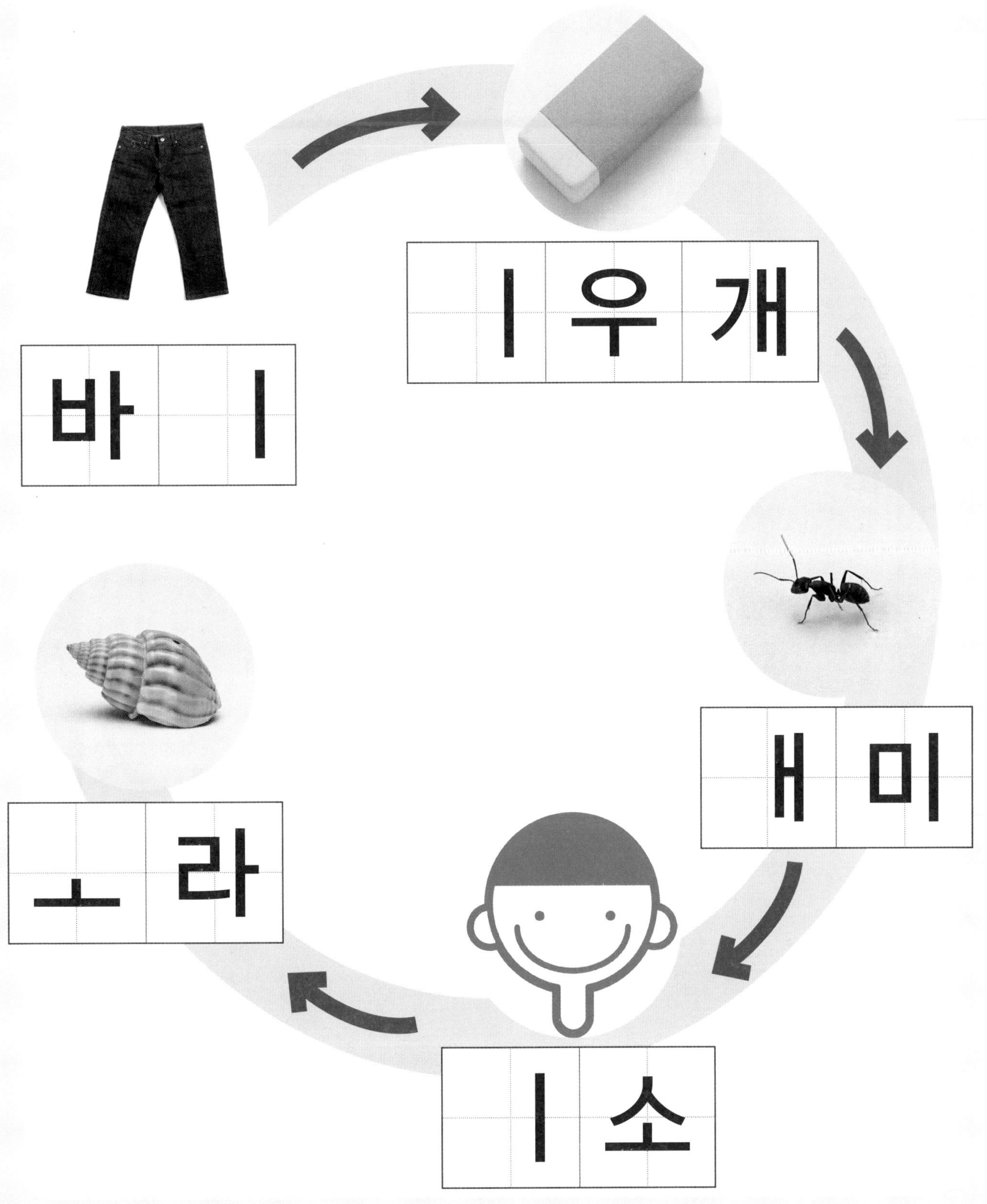

창의력 쑥쑥

📖 점선을 따라가 빈칸에 알맞은 글자를 써넣으세요.

□ㅣ차

□ㅏ리

□ㅗ자

□ㅐ소

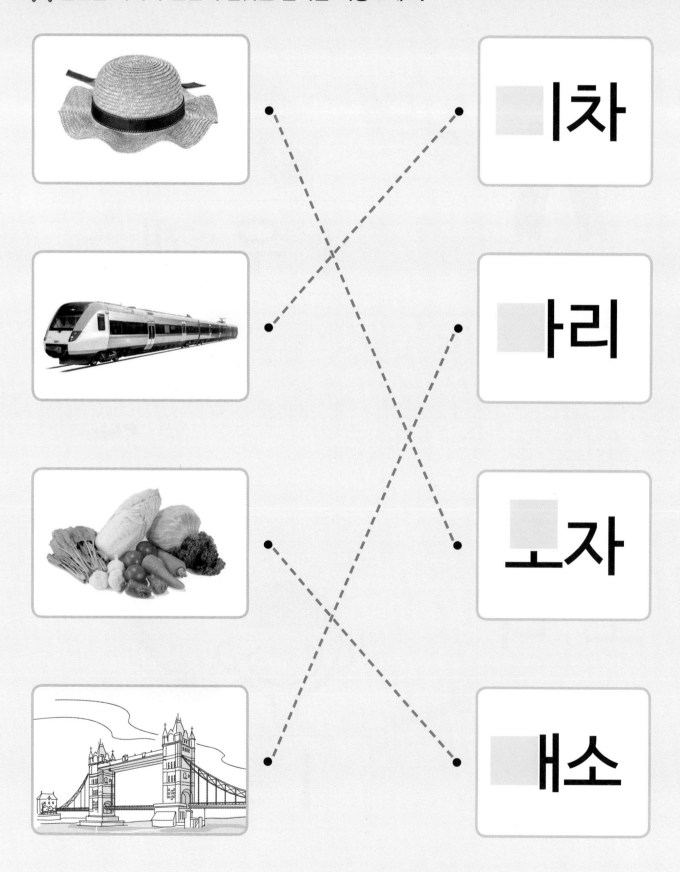

◐ 정답과 풀이 7쪽

알맞은 자음자를 써넣어 낱말 카드를 완성하세요.

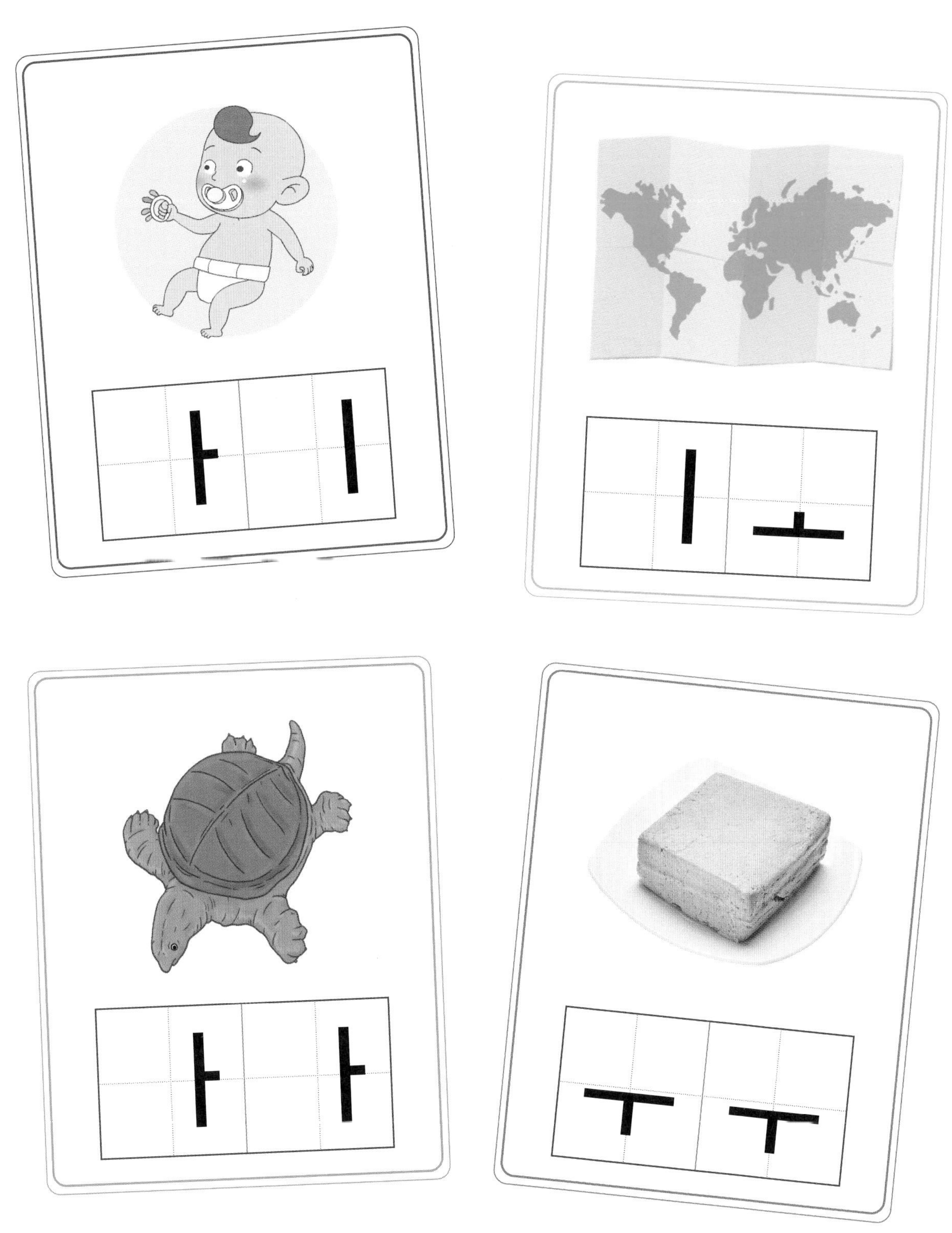

1주

사고력 쑥쑥

📖 다음 그림에서 자음자 ㅇ, ㅈ이 들어간 낱말을 모두 찾아 색칠하세요.

바다
시소
우유
아기
자라
어머니
오리
치마
지도
오이
모래
다리
배

◐ 정답과 풀이 8쪽

사다리를 타고 내려가서 파란색 자음자를 알맞게 쓴 낱말에 ○표 하세요.

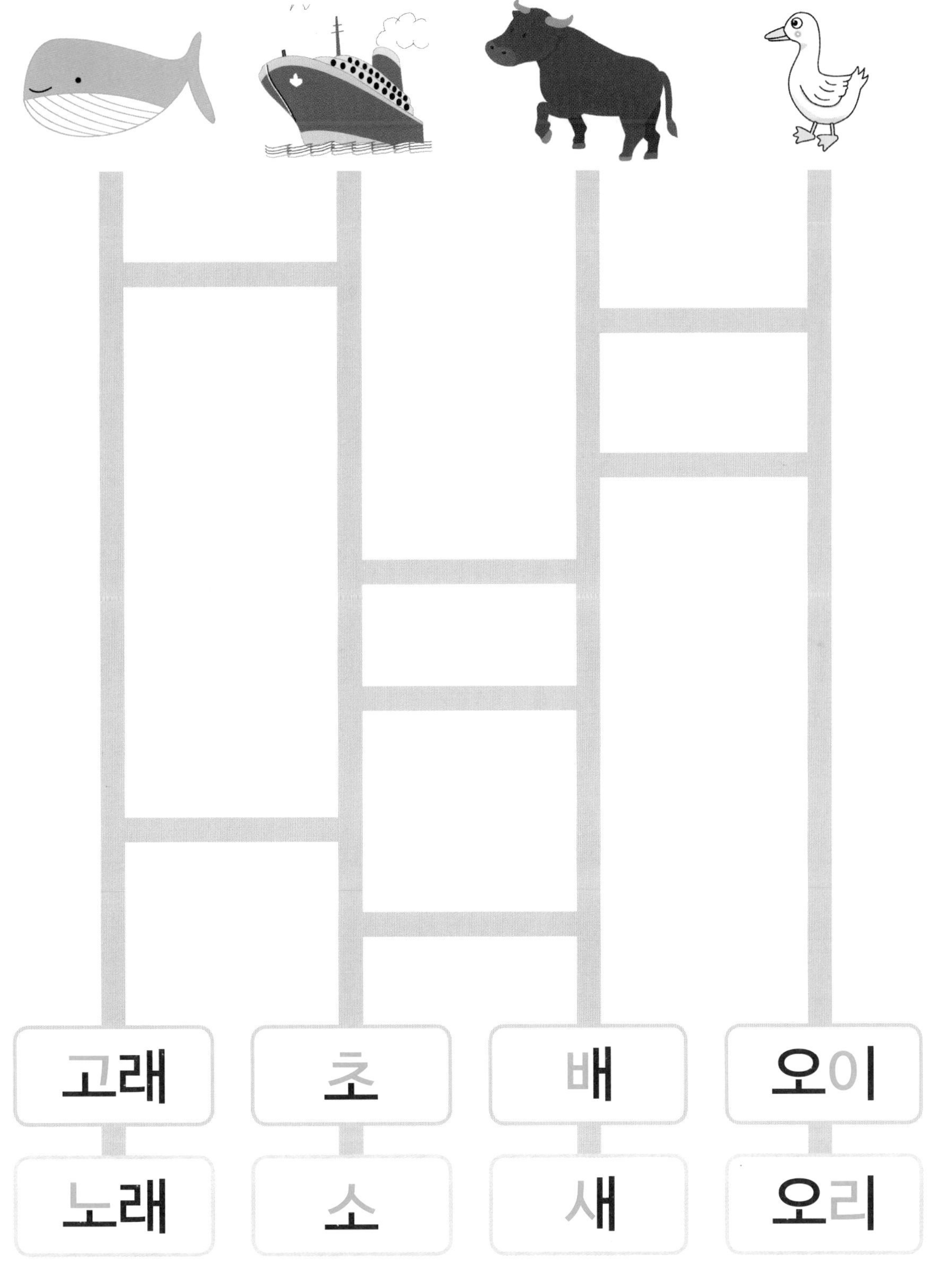

2주에는 무엇을 공부할까? ①

자음자를 배워요(ㅋ~ㅉ)

1일 자음자 ㅋ, ㅌ

콩쥐와 팥쥐가 살았어요.

2일 자음자 ㅍ, ㅎ

콩쥐는 편히 쉬지 못해요.

3일 자음자 ㄲ, ㄸ
두꺼비가 도와준대요.
또 황소도 도와준대요.

4일 자음자 ㅃ, ㅆ
일이 빨리 끝나서 잔치에 갔어요.

5일 자음자 ㅉ
콩쥐도 짝을 만났어요.

2주에는 무엇을 공부할까? ❷

자음자를 배워요(ㅋ~ㅉ)

✪ 자음자 모양을 몸으로 잘 표현한 친구를 붙임 딱지에서 찾아 붙이세요.

ㅋ

ㅌ

ㅍ

ㅎ

◐ 정답과 풀이 9쪽

ㄲ

ㄸ

ㅃ

ㅆ

ㅉ

2주

1일

자음자 ㅋ, ㅌ

빨간색으로 쓴 자음자를 붙임 딱지에서 찾아 붙이세요.

붙임 딱지 4쪽

◆ 자음자의 이름을 읽고, 써 보세요.

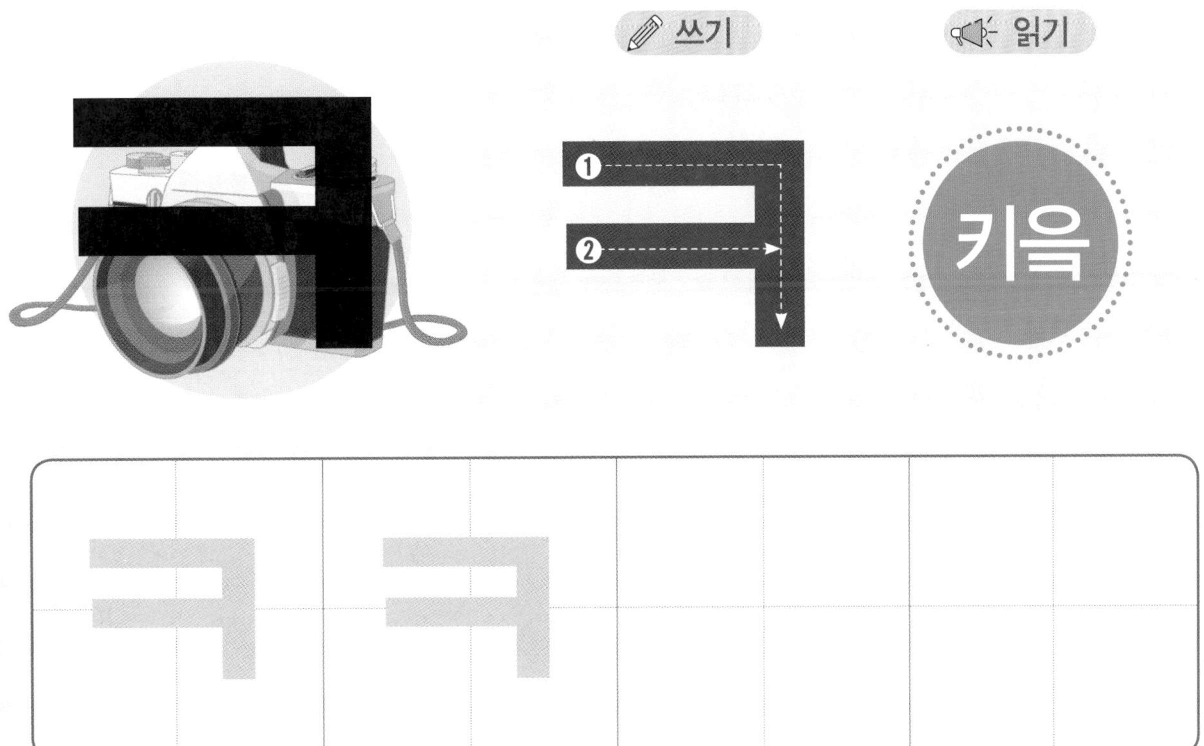

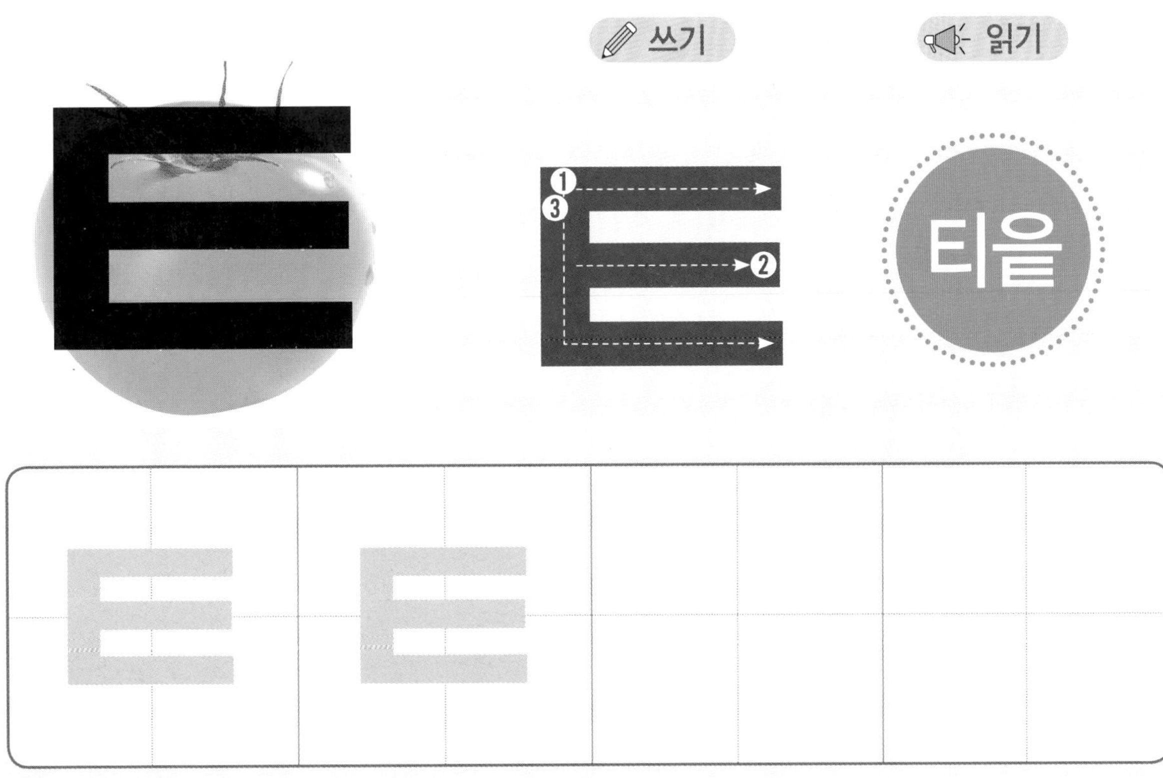

자음자 ㅋ, ㅌ

◆ 자음자 ㅋ과 ㅌ을 바르게 써 보세요.

◆ 자음자 ㅋ과 ㅌ이 들어간 낱말을 선으로 그으세요.

◆ 자음자 ㅋ이 들어간 낱말에 ○표, 자음자 ㅌ이 들어간 낱말에 △표 하세요.

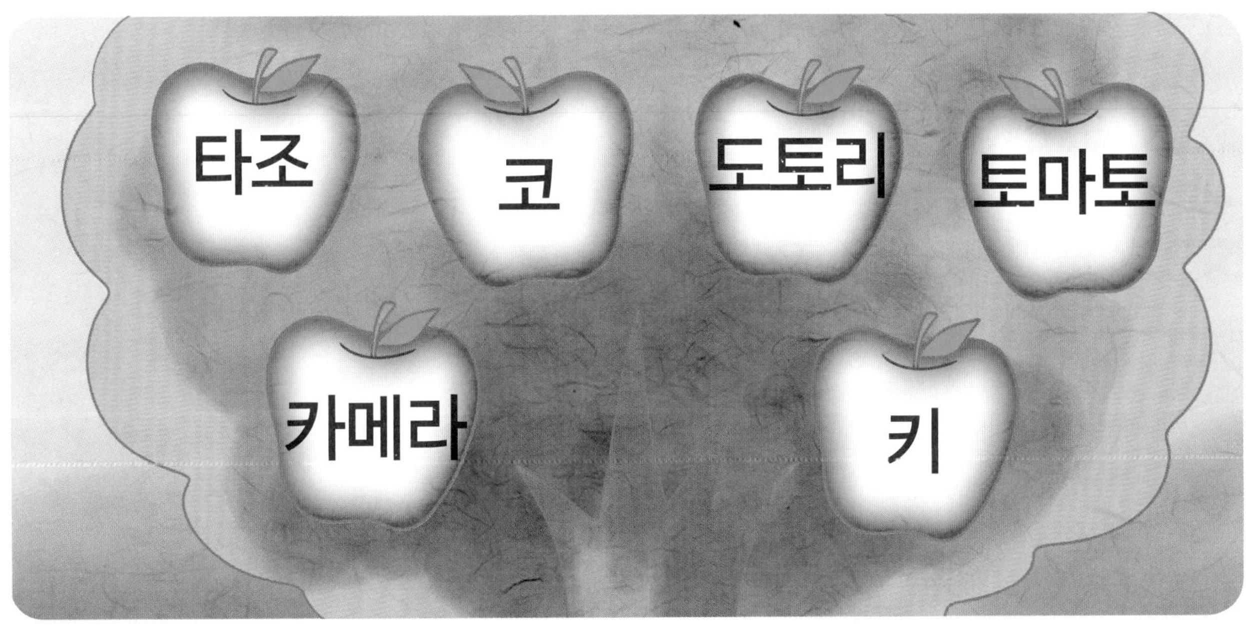

2일 자음자 ㅍ, ㅎ

빨간색으로 쓴 자음자를 붙임 딱지에서 찾아 붙이세요.

붙임 딱지 4쪽

◆ 자음자의 이름을 읽고, 써 보세요.

쓰기 읽기

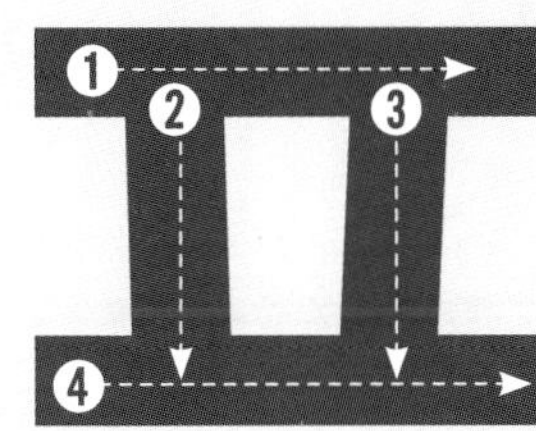

피읖

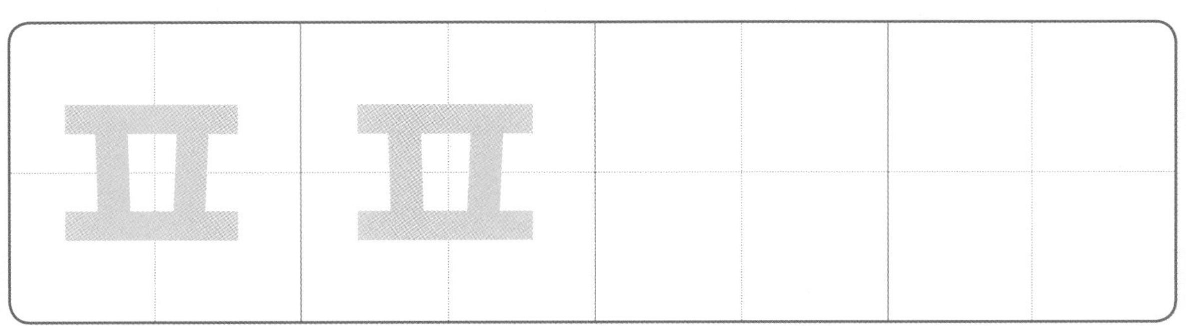

쓰기 읽기

ㅎ

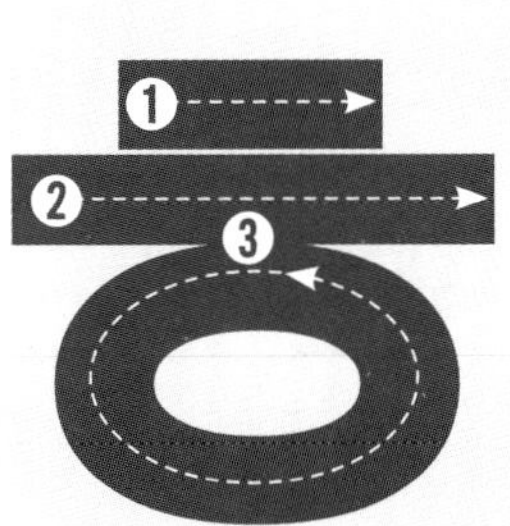

ㅎ ㅎ

◆ 자음자 ㅍ과 ㅎ을 바르게 써 보세요.

◆ 자음자 ㅍ 과 ㅎ 이 들어간 낱말을 선으로 그으세요.

◆ 자음자 ㅍ 이 들어간 낱말에 빨간색을, 자음자 ㅎ 이 들어간 낱말에 노란색을 칠하세요.

3일
자음자 ㄲ, ㄸ
빨간색으로 쓴 자음자를 붙임 딱지에서 찾아 붙이세요.
붙임 딱지 4쪽
토끼
코끼리
땀
또래

◆ 자음자의 이름을 읽고, 써 보세요.

쓰기 읽기

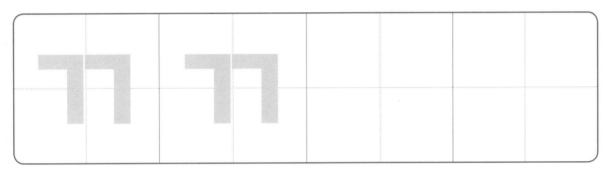

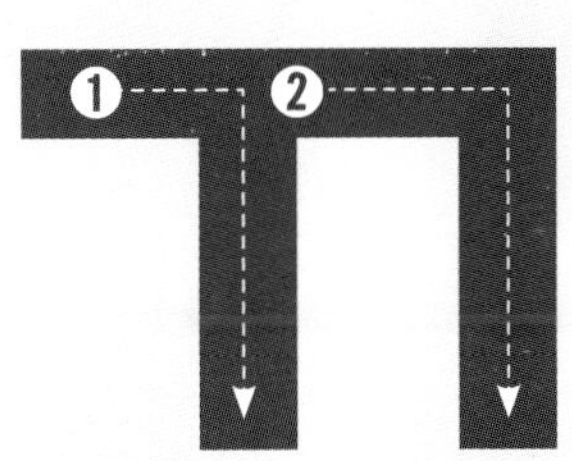

ㄲ ㄲ

쓰기 읽기

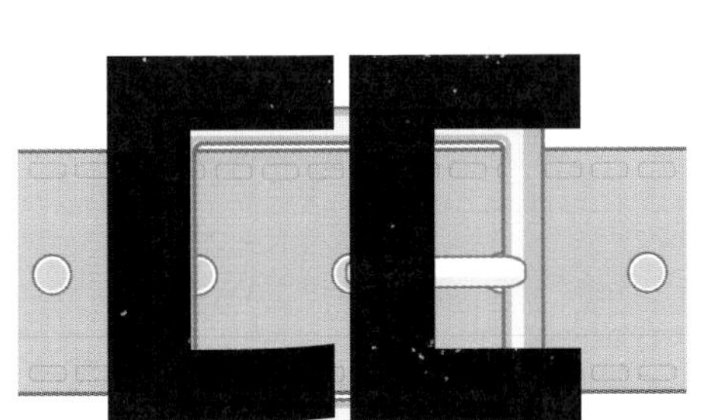

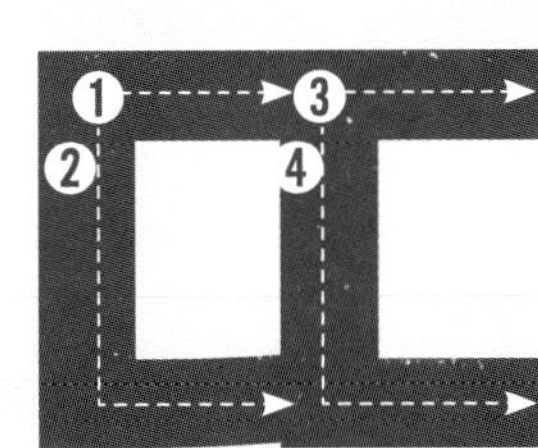

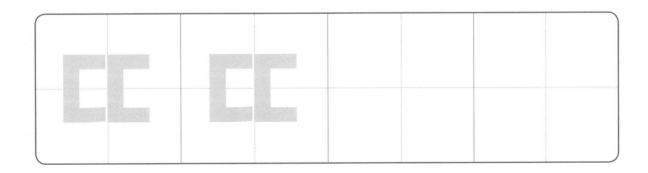

3일 자음자 ㄲ, ㄸ

◆ 자음자 ㄲ과 ㄸ을 바르게 써 보세요.

◆ 자음자 ㄲ과 ㄸ이 들어간 낱말을 선으로 그으세요.

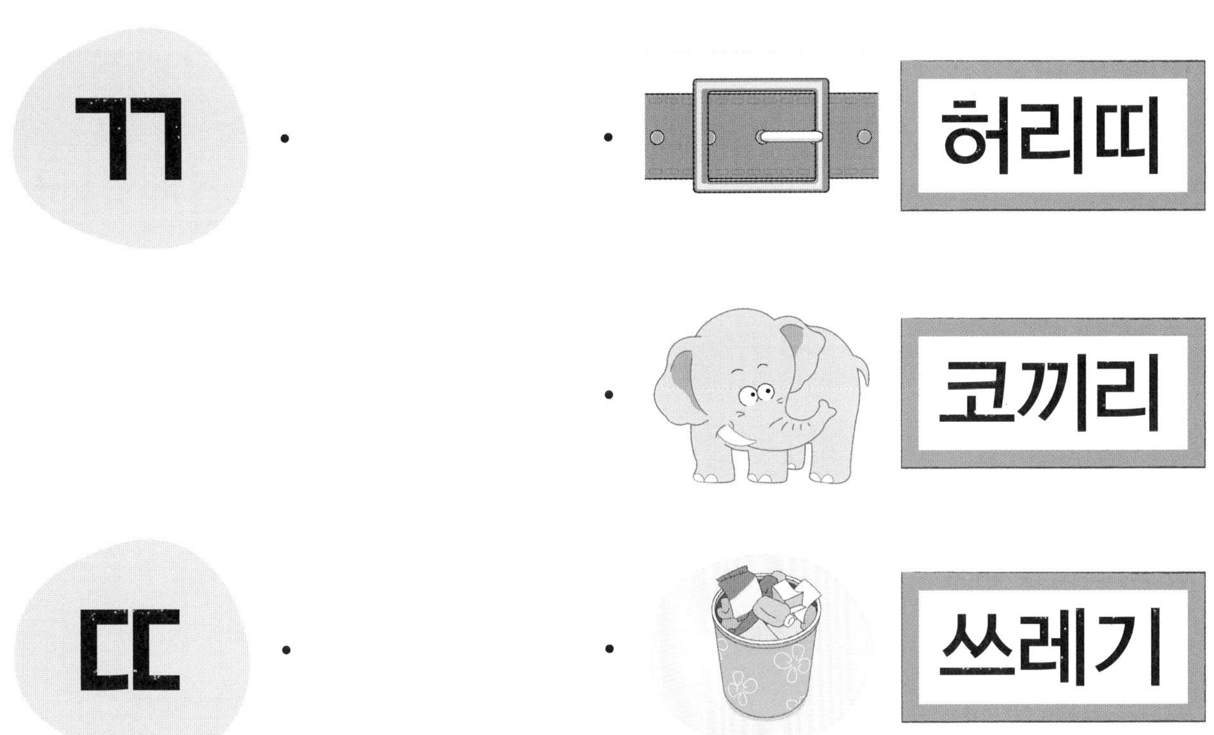

◆ 자음자 ㄲ이 들어간 모자에 ○표, 자음자 ㄸ이 들어간 모자에 △표 하세요.

4일 자음자 ㅃ, ㅆ

빨간색으로 쓴 자음자를 붙임 딱지에서 찾아 붙이세요.

붙임 딱지 4쪽

◆ 자음자의 이름을 읽고, 써 보세요.

쓰기 읽기

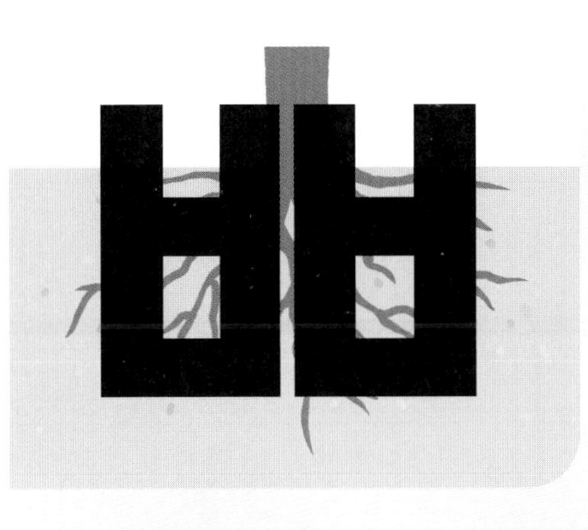

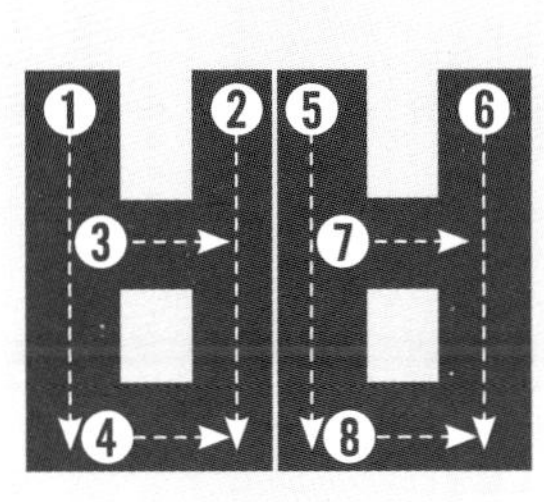

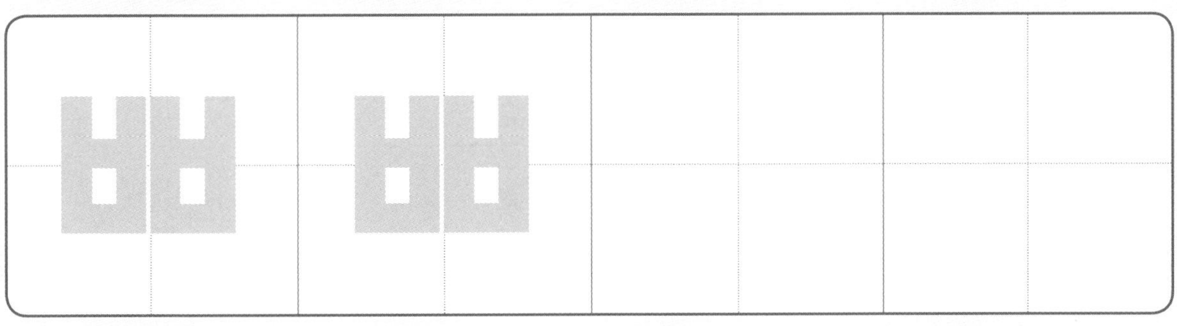

쓰기 읽기

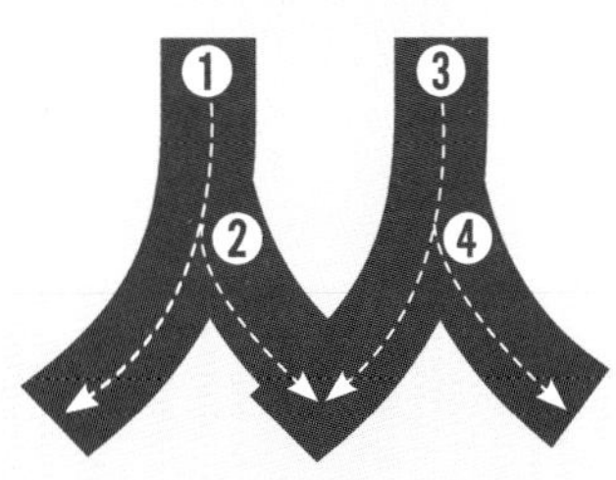

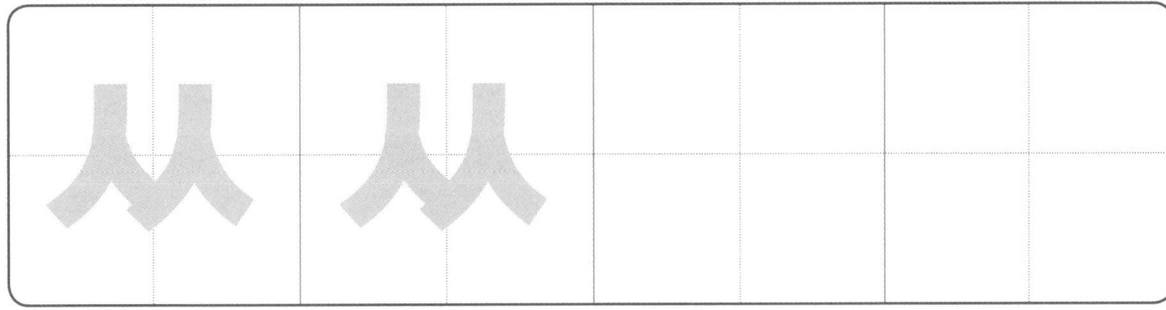

4일 자음자 ㅃ, ㅆ

◆ 자음자 ㅃ과 ㅆ을 바르게 써 보세요.

◆ 자음자 ㅃ과 ㅆ이 들어간 낱말을 선으로 그으세요.

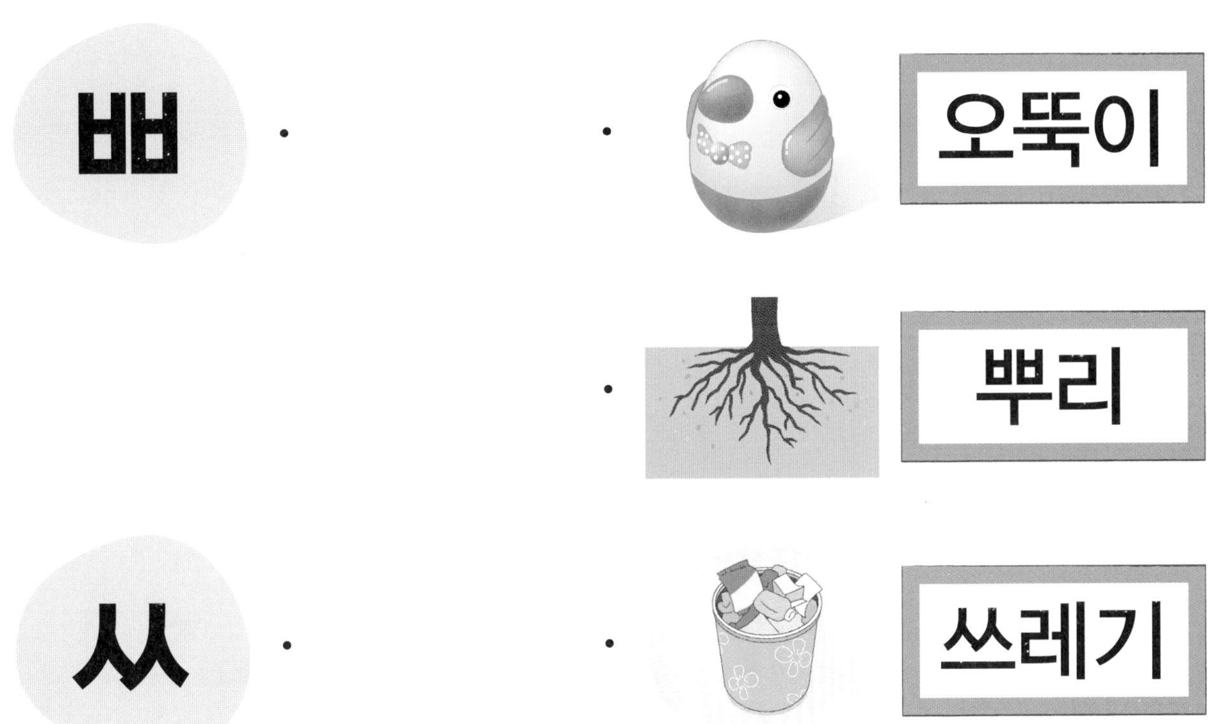

◆ 자음자 ㅃ과 ㅆ을 알맞게 쓴 낱말에 ○표 하고 길을 찾아가 보세요.

5일 자음자 ㅉ

빨간색으로 쓴 자음자를 붙임 딱지에서 찾아 붙이세요.

붙임 딱지 4쪽

◆ 자음자의 이름을 읽고, 써 보세요.

쓰기 읽기

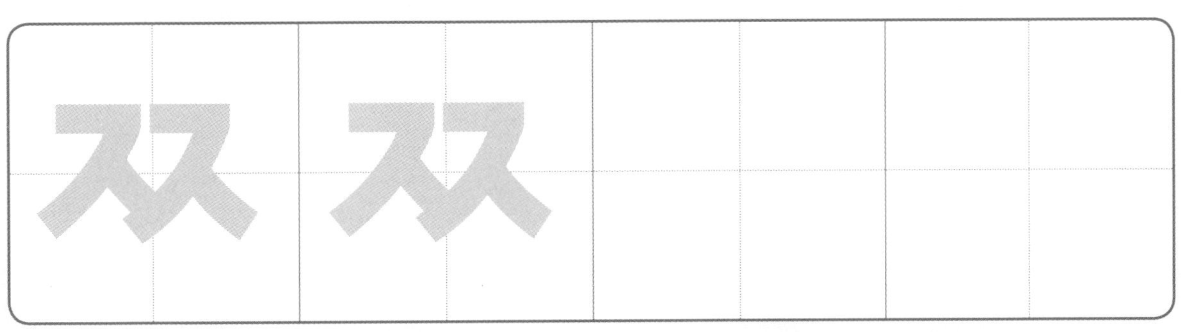

자음자 ㅉ

◆ 자음자 ㅉ을 바르게 써 보세요.

❶

짜 장 면

❷

짬 뽕

❸

찐 빵

❹

짝 꿍

❺

쪽 지

❻

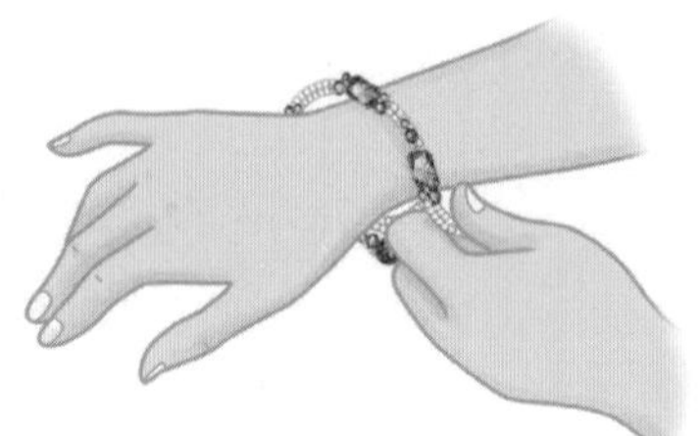

팔 찌

◆ 자음자 ㅉ이 들어가지 않은 낱말은 어느 것인가요? (　　　　)

① 짬뽕

② 쪽지

③ 자장면

④ 팔찌

⑤ 찐빵

◆ 다음 낱말을 알맞게 고쳐 쓰세요.

(1) 

→

(2) 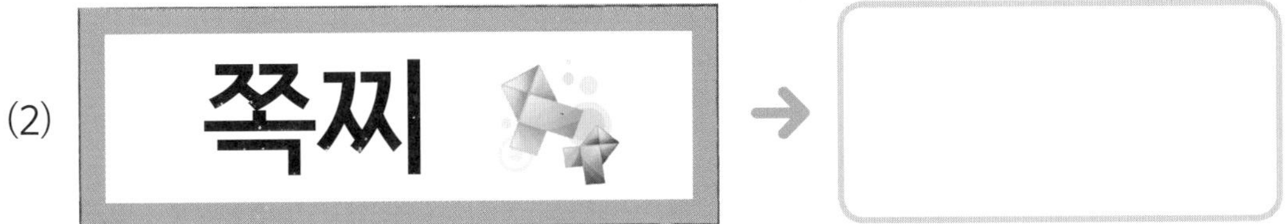

→

(3) 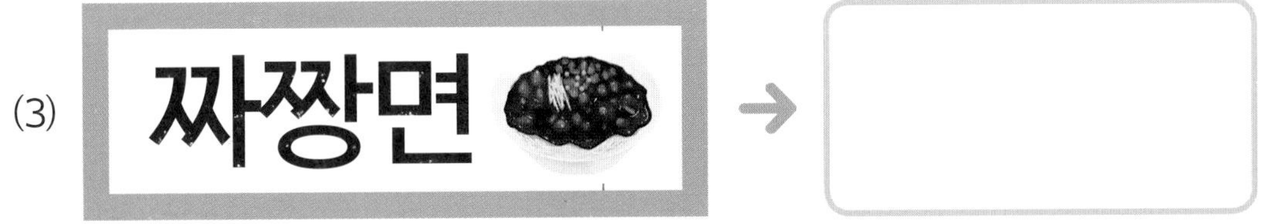

→

2주 누구나 100점 TEST

점수

◆ 다음 그림을 보고 알맞은 자음자를 써넣어 낱말을 완성하세요.

1
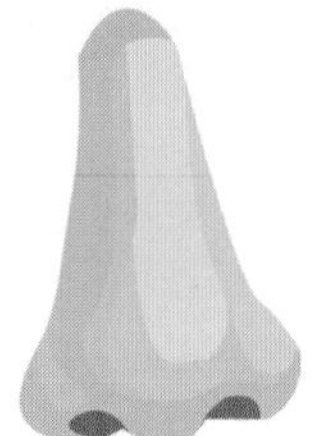
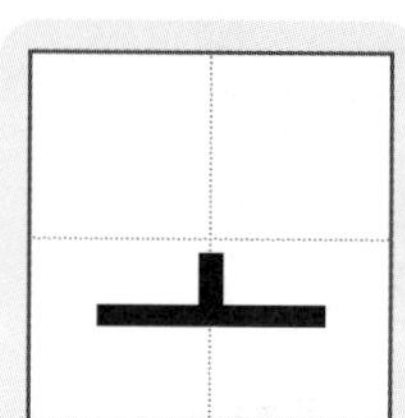

2

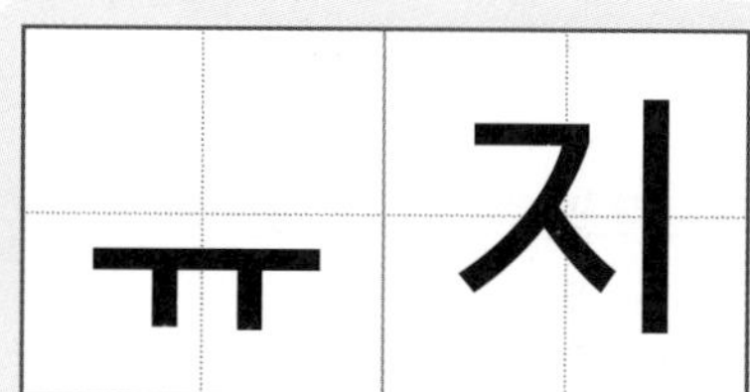

3

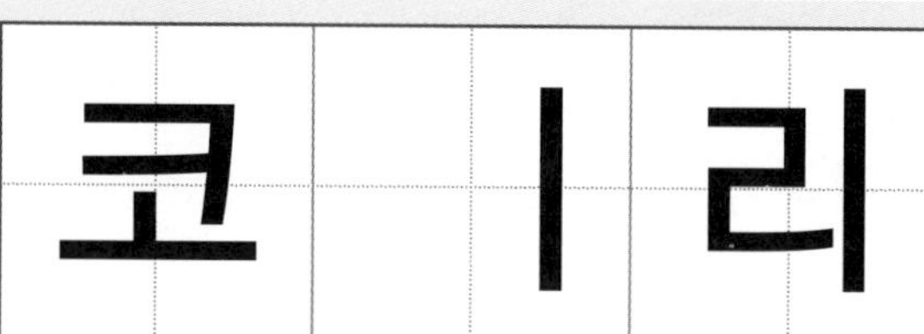

4

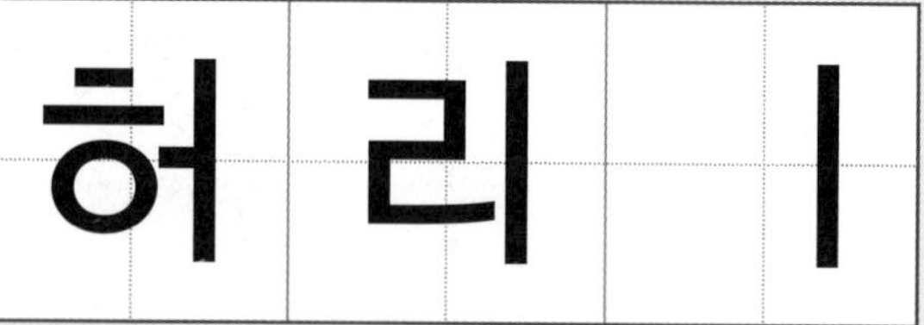

5
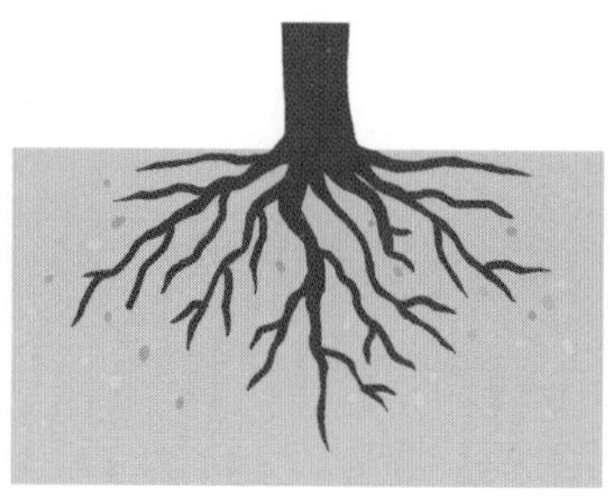
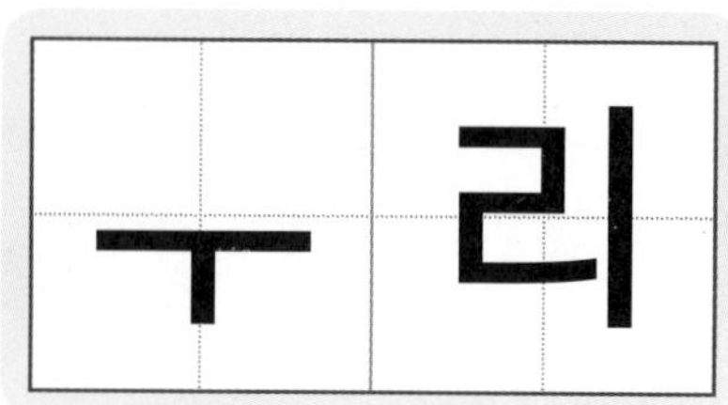

◐ 정답과 풀이 14쪽

◆ 다음 그림을 보고 바르게 쓴 낱말에 ○표 하고, 따라 쓰세요.

6 

토기 토끼

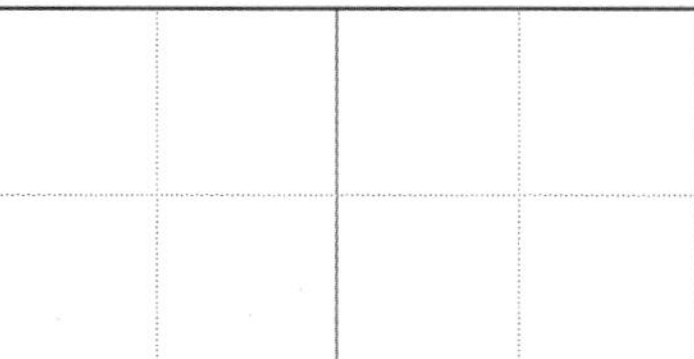

7 

오두 호두

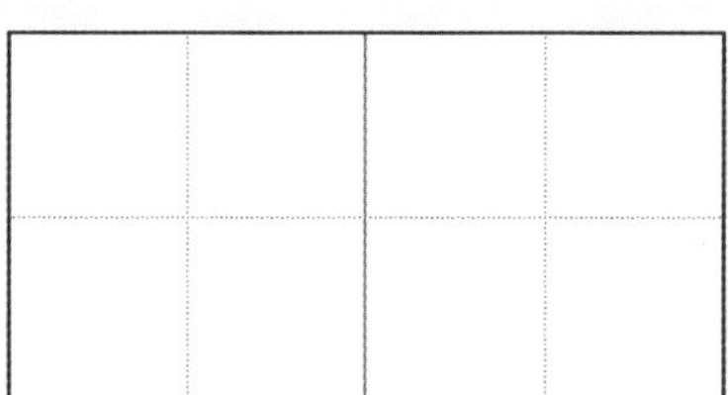

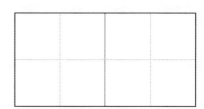

◆ 다음 낱말 중 의 자음자가 들어가지 않은 것에 ✕표 하세요.

8 ㄸ

땀 또래 두꺼비

9 ㅃ

아빠 뿌리 허리띠

10 ㅉ

새싹 짝꿍 짜장면

창의·융합·코딩 ①

어휘력 쑥쑥

다음 표에서 파란색 자음자를 바르게 쓴 칸에 모두 색칠하고, 색칠된 칸은 어떤 자음자와 똑같은지 쓰세요.

 포도	 하마	 도토리
 도마토	 스레기	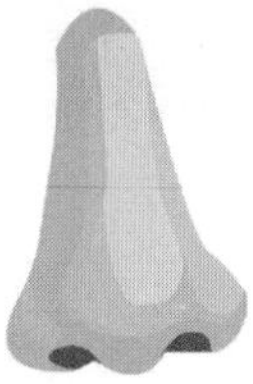 코
 카메라	 새싹	 두꺼비
 미아노	 기	 찌개

→

📖 다음 그림을 보고 빈칸에 들어갈 글자를 알맞게 써넣어 글자 퍼즐을 완성하세요.

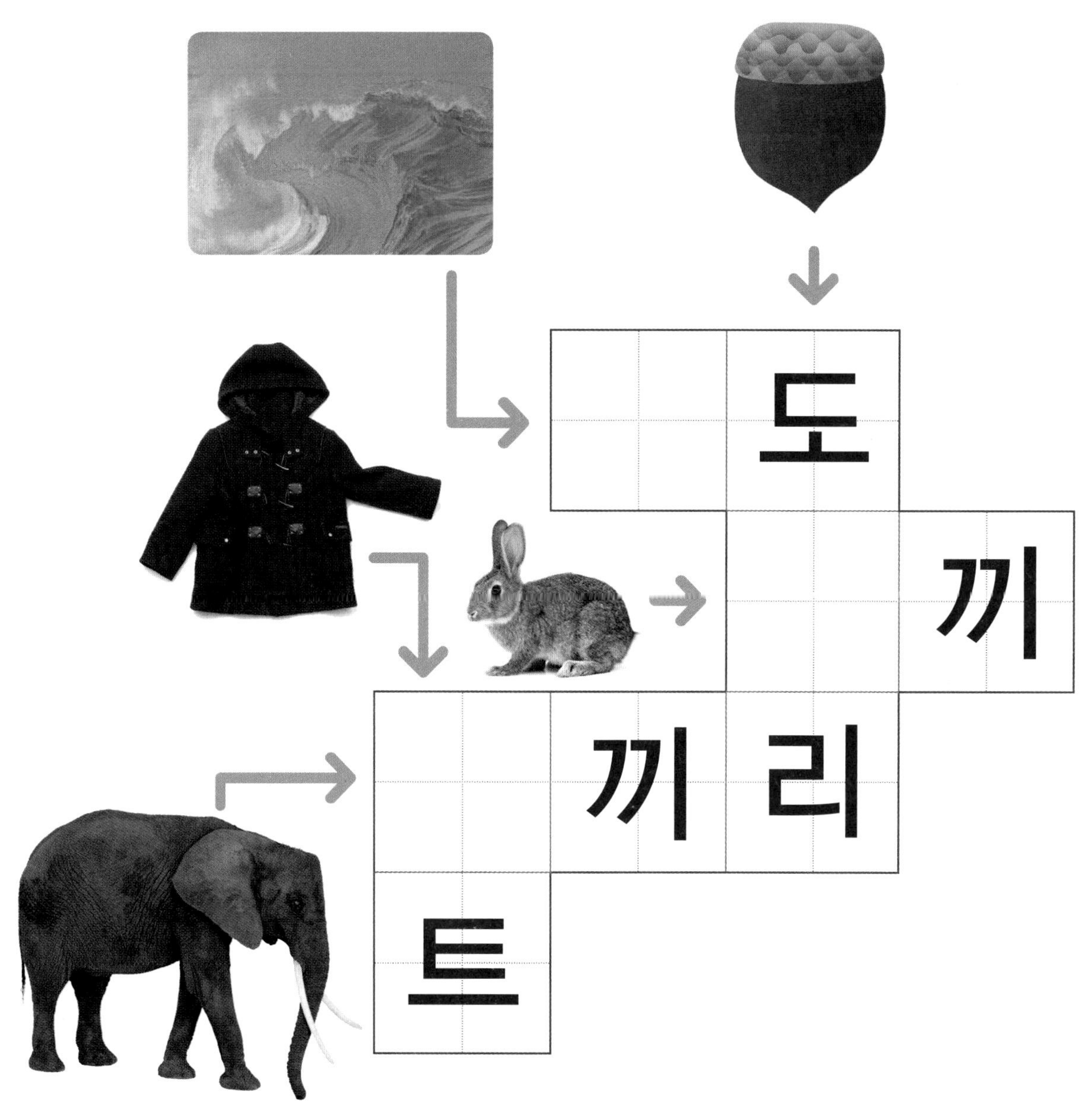

창의력 쑥쑥

낱말의 첫소리와 그림을 보고 어떤 낱말인지 써 보세요.

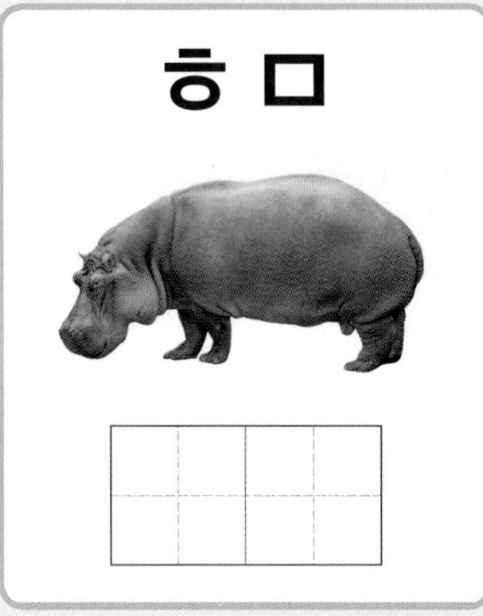

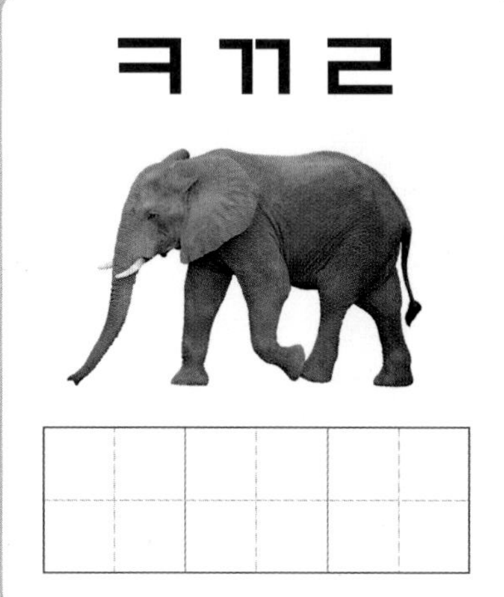

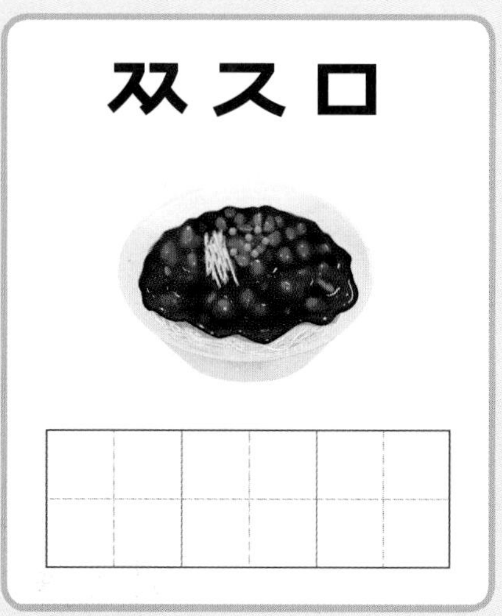

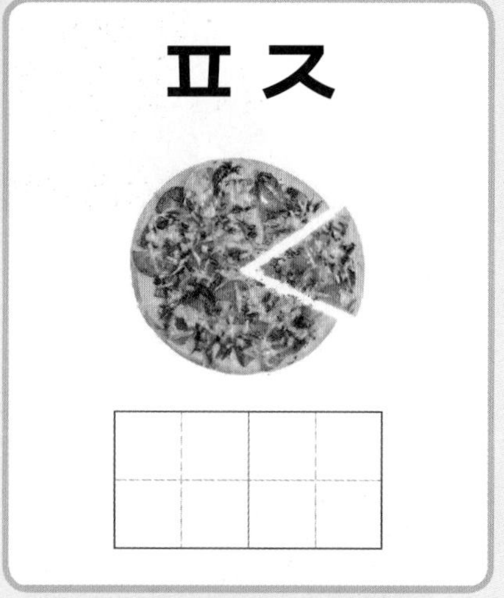

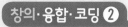

◐ 정답과 풀이 15쪽

그림과 설명이 나타내는 글자를 만들 때에 필요한 낱자를 찾아 선으로 이어 보세요. 그리고 어떤 낱말인지 써 보세요.

첫 번째 글자

두 번째 글자

두 번째 글자

첫 번째 글자

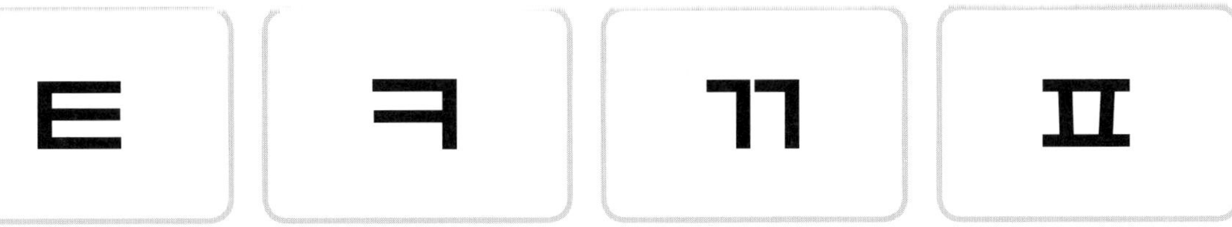

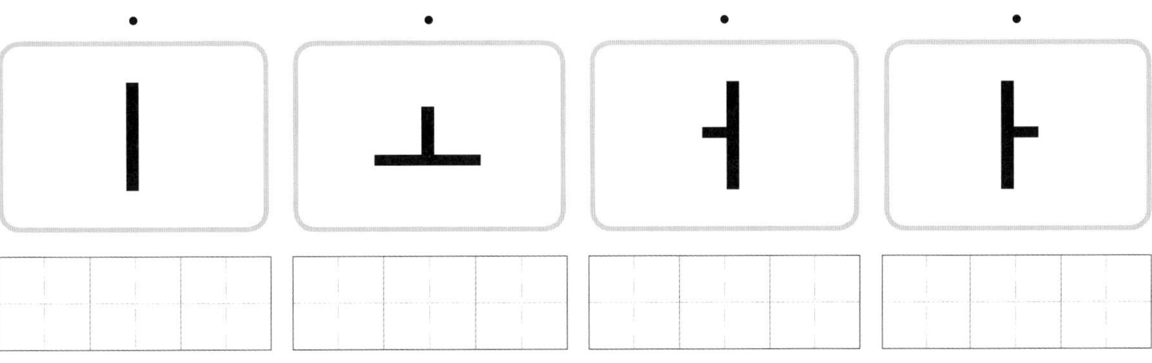

사고력 쑥쑥

📖 자음자를 알맞게 쓴 낱말을 모두 찾아 색을 칠해 보세요.

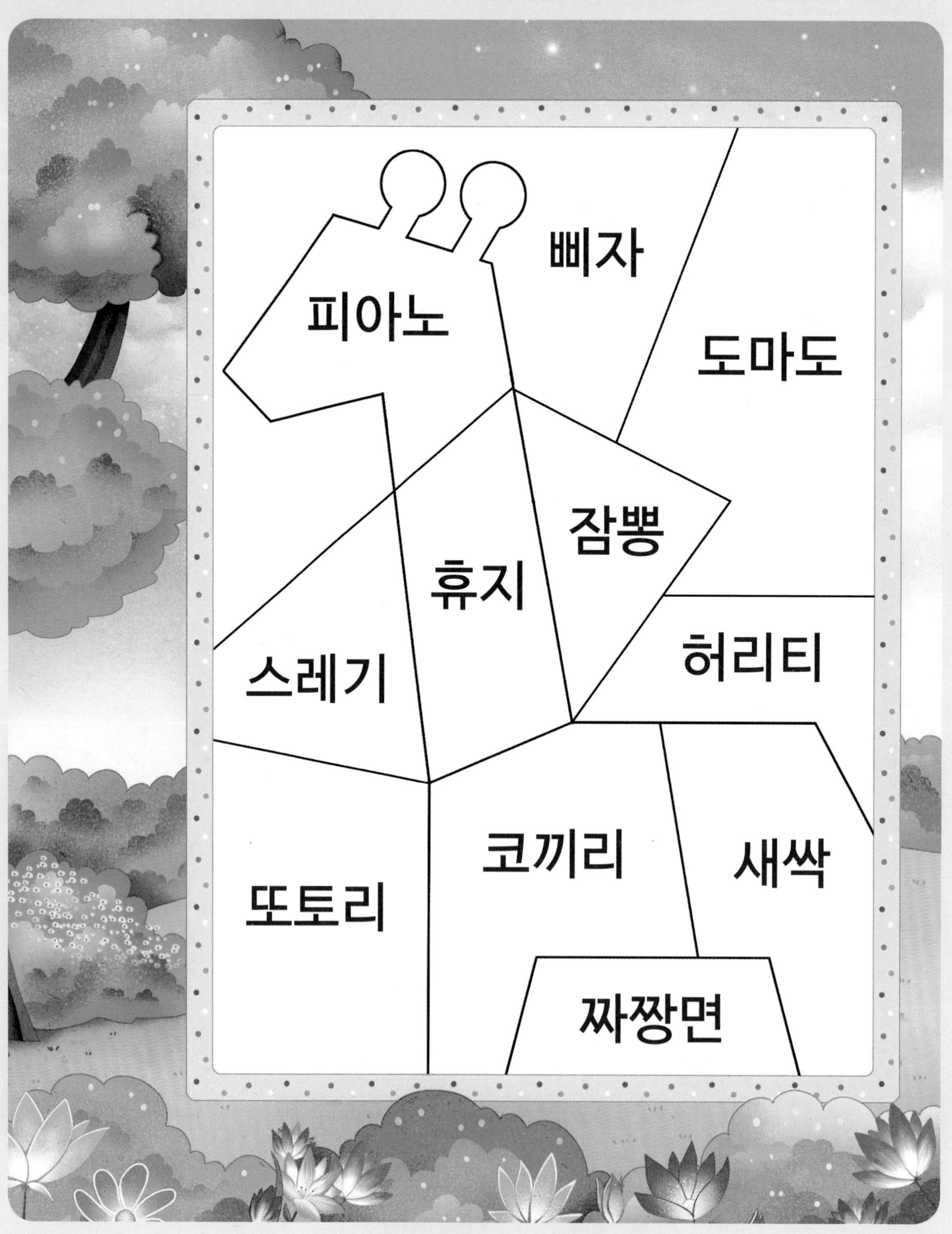

자음자의 알맞은 이름을 생각하며 흥부네 집까지 가는 길을 표시해 보세요.

3주에는 무엇을 공부할까? ①

모음자를 배워요 (ㅏ~ㅣ)

1일 모음자 ㅏ, ㅑ

착한 나무꾼의 이야기예요.

2일 모음자 ㅓ, ㅕ

연못에 쇠도끼를 빠뜨렸어요.

3일 모음자 ㅗ, ㅛ
산신령이 나타났어요!
이 도끼가 네 것이냐?

4일 모음자 ㅜ, ㅠ
아니요.
나무꾼은 솔직하게 대답했어요.

5일 모음자 ㅡ, ㅣ
정직하구나.
금도끼와 은도끼를 모두 주겠다!

3주에는 무엇을 공부할까? ②

모음자를 배워요 (ㅏ ~ ㅣ)

✪ 모음자 모양을 몸으로 잘 표현한 친구를 붙임 딱지에서 찾아 붙이세요.

ㅏ

ㅑ

ㅓ

ㅕ

ㅗ

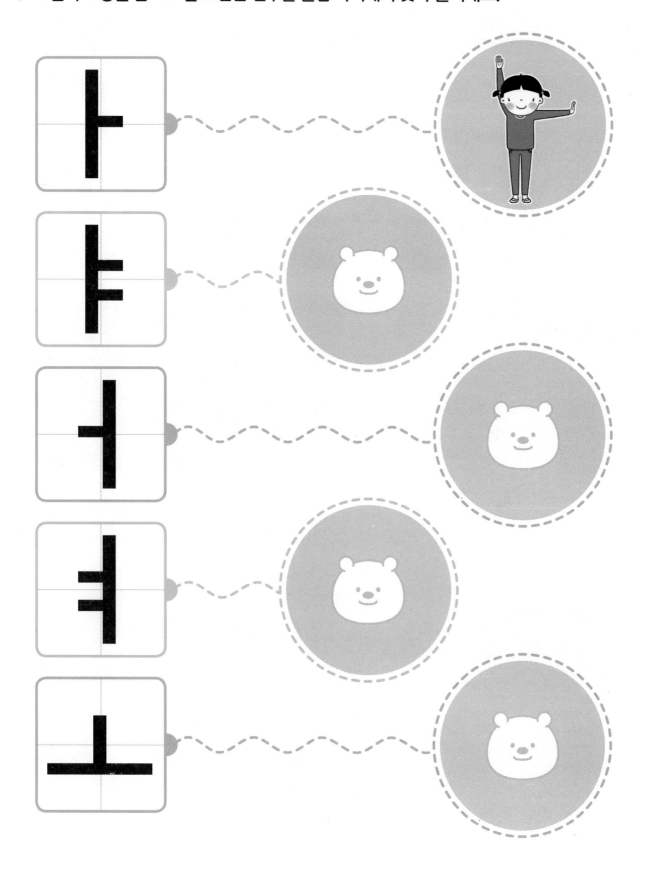

◐ 정답과 풀이 17쪽

ㅛ

ㅜ

ㅠ

ㅡ

ㅣ

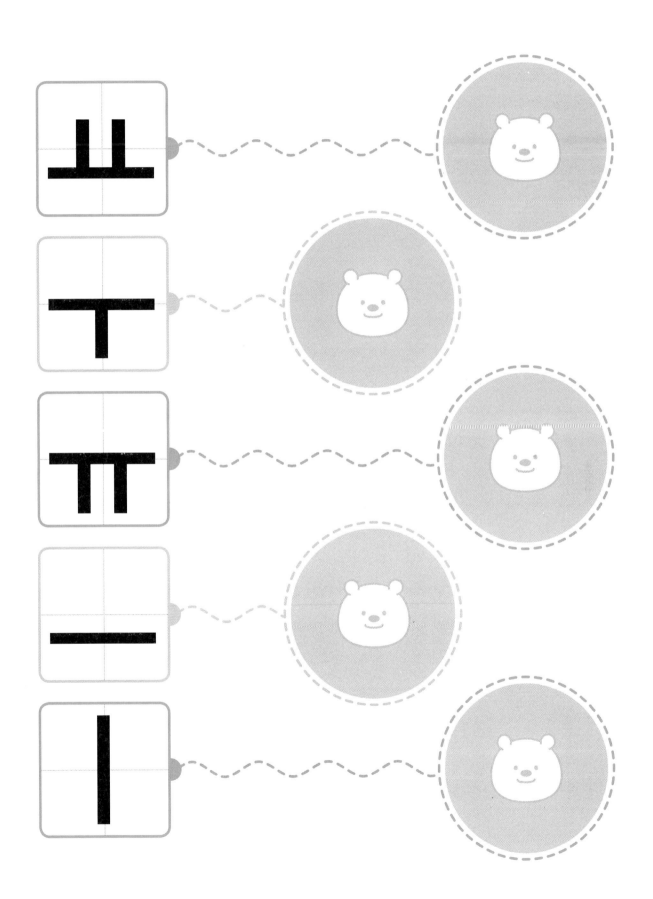

1일
모음자 ㅏ, ㅑ
빨간색으로 쓴 모음자를 붙임 딱지에서 찾아 붙이세요.
붙임 딱지 6쪽
바다
고양이
사탕

◆ 모음자의 이름을 읽고, 써 보세요.

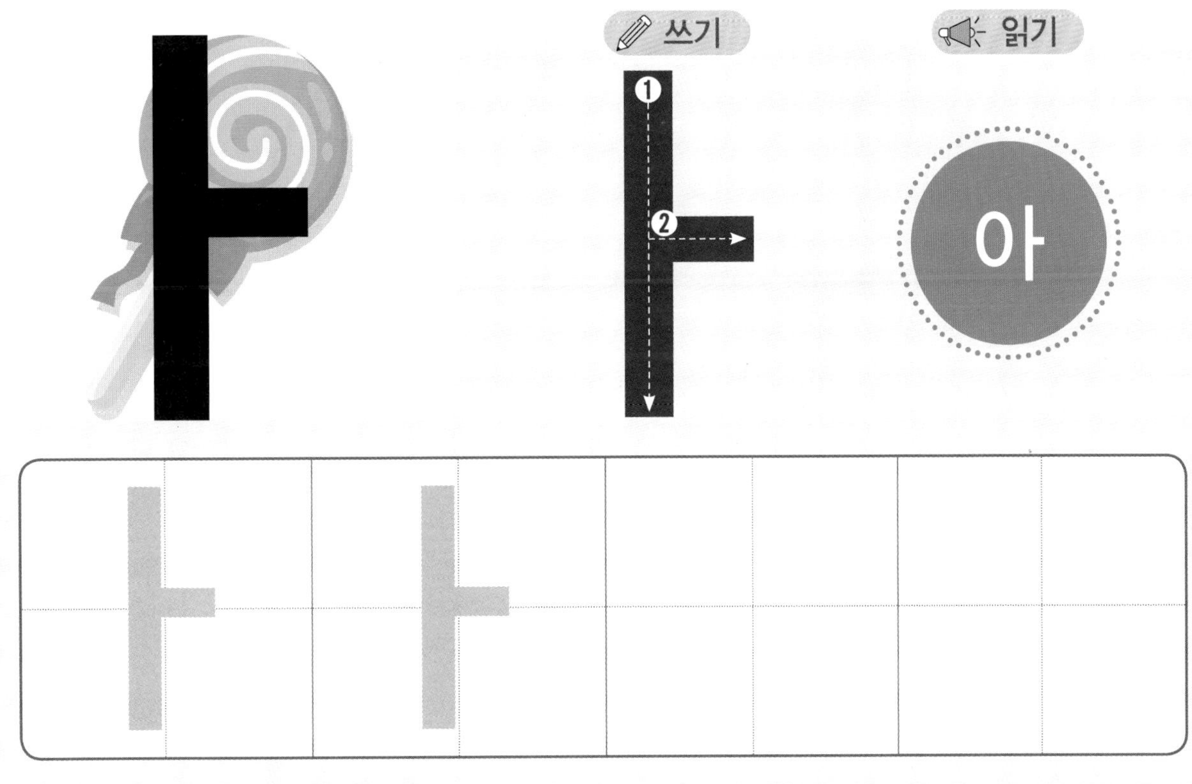

모음자 ㅏ, ㅑ

◆ 모음자 ㅏ와 ㅑ를 바르게 써 보세요.

◐ 정답과 풀이 17~18쪽

◆ 모음자가 바르게 쓰인 낱말에 ○표 하세요.

3주

◆ 보물 상자를 열 수 있는 열쇠를 찾아 ○표 하세요.

2일
모음자 ㅓ, ㅕ
빨간색으로 쓴 모음자를 붙임 딱지에서 찾아 붙이세요.
붙임 딱지 6쪽
여름
두더지
겨울

◆ 모음자의 이름을 읽고, 써 보세요.

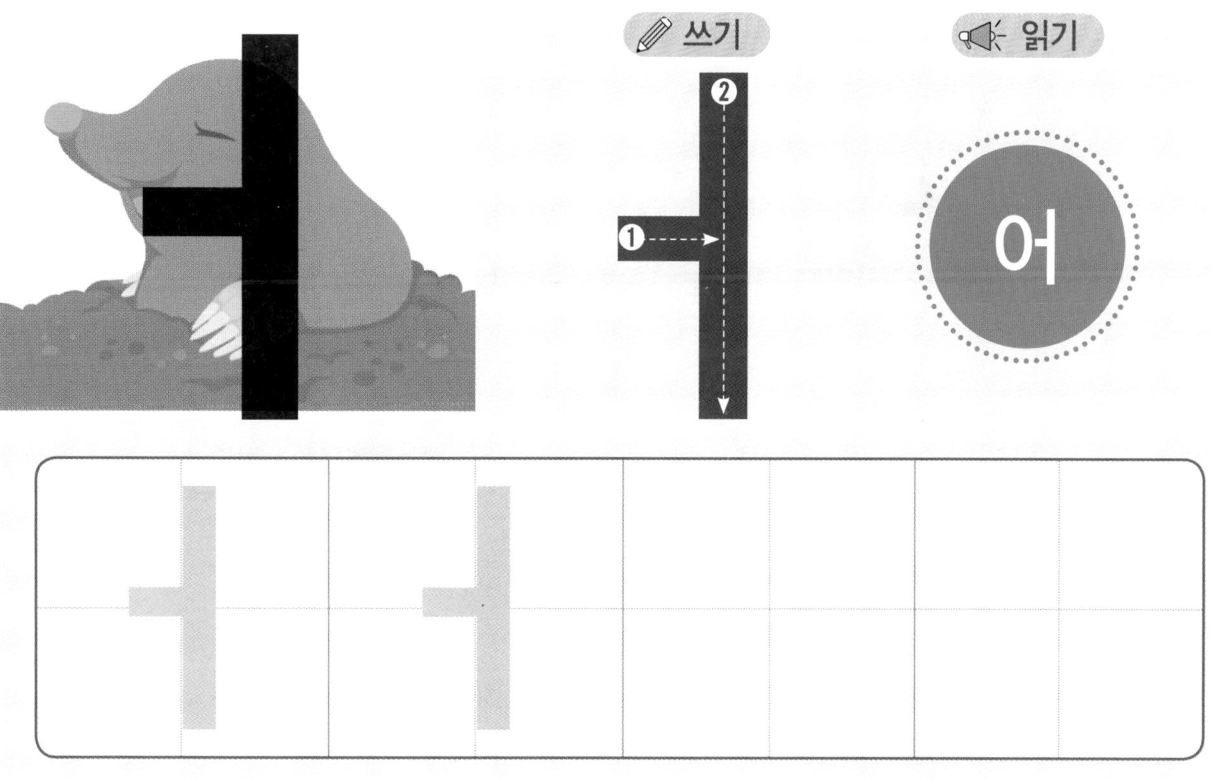

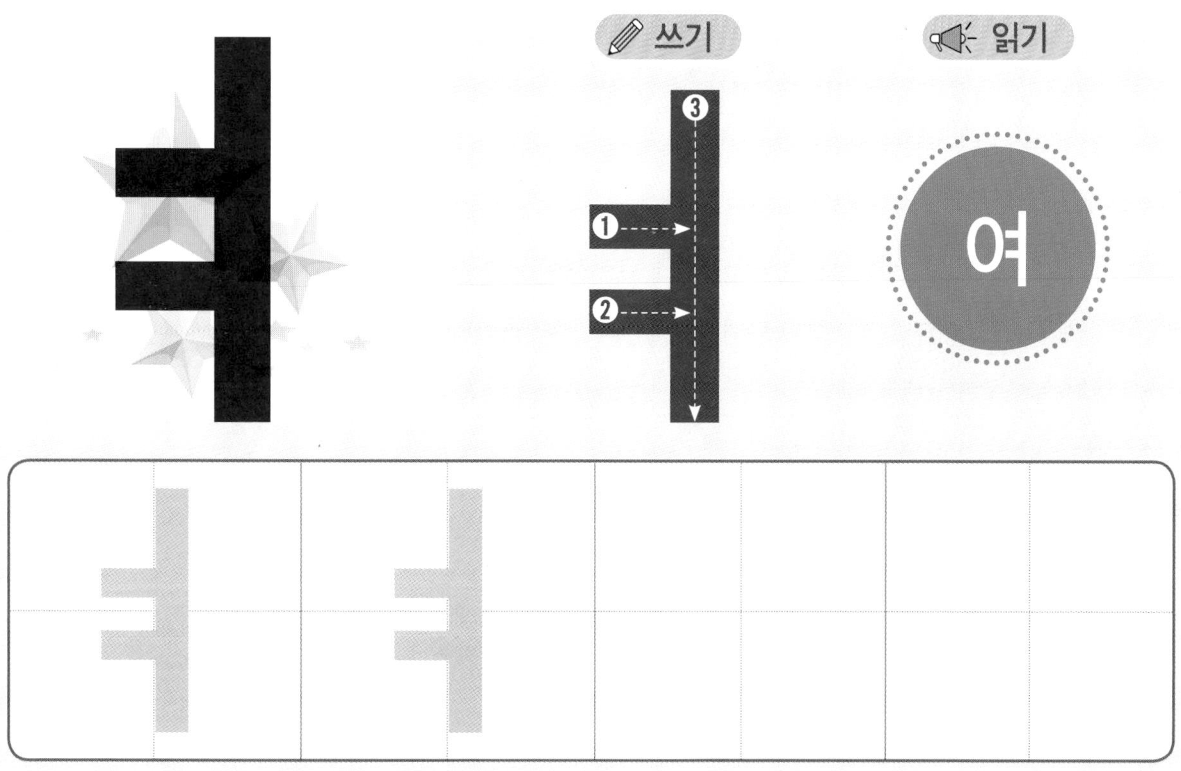

2일 모음자 ㅓ, ㅕ

◆ 모음자 ㅓ와 ㅕ를 바르게 써 보세요.

◆ 모음자가 바르게 쓰인 낱말에 ○표 하세요.

두뎌지 두더지

문어 문여

◆ 그림에 알맞은 낱말을 선으로 이으세요.

❶ 

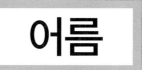

❷ 

거울

3일 모음자 ㅗ, ㅛ

빨간색으로 쓴 모음자를 붙임 딱지에서 찾아 붙이세요.

붙임 딱지 6쪽

◆ 모음자의 이름을 읽고, 써 보세요.

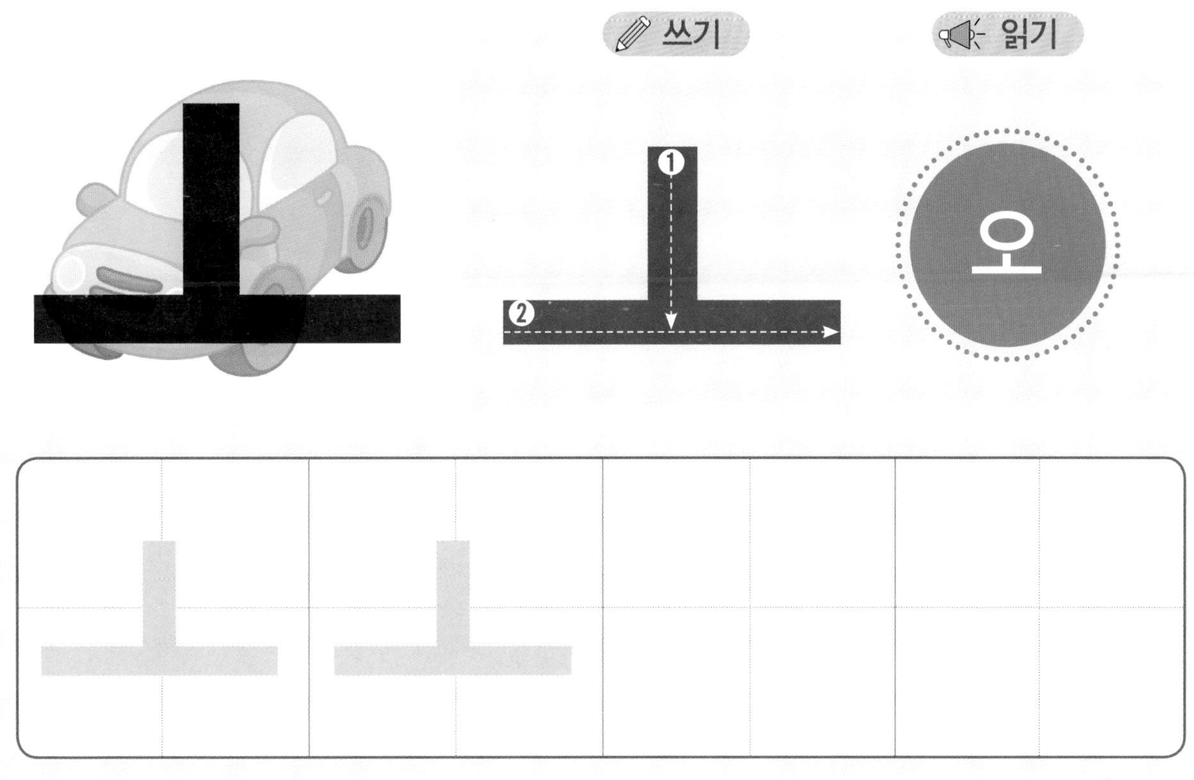

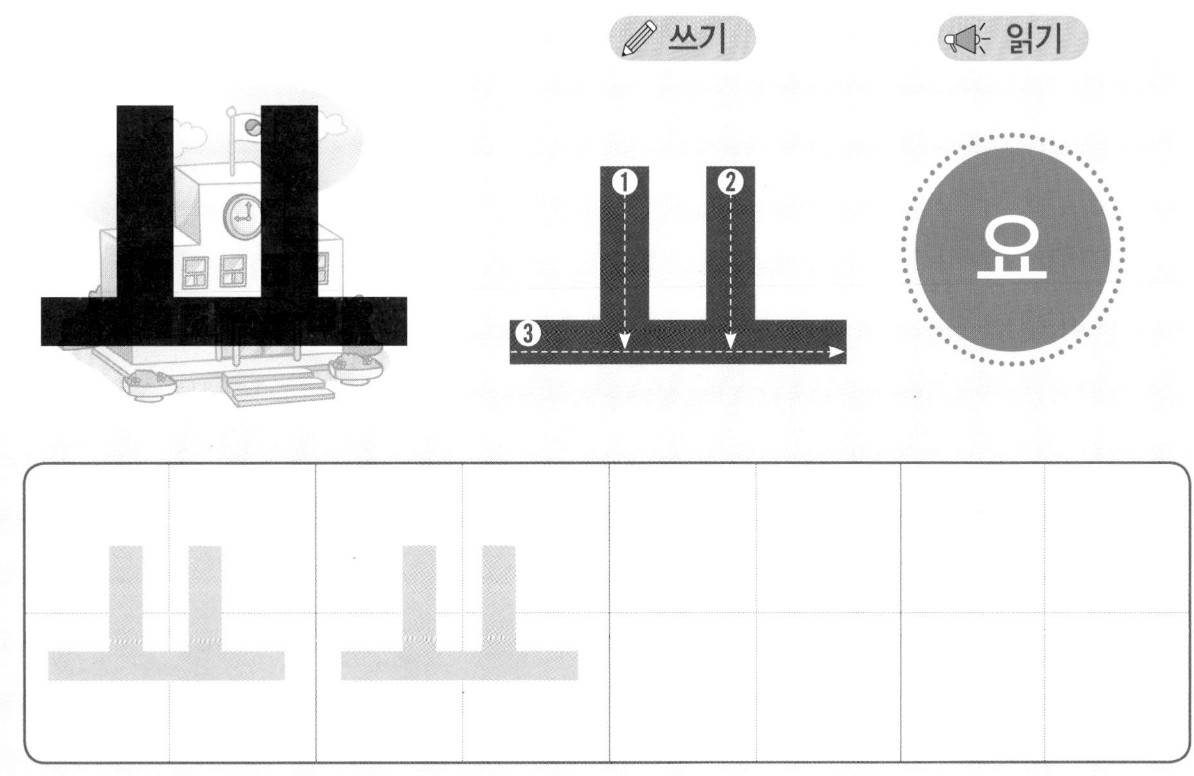

◆ 모음자 ㅗ와 ㅛ를 바르게 써 보세요.

◆ 모음자 ㅗ와 ㅛ가 들어간 낱말을 선으로 그으세요.

◆ 낱말이 바르게 쓰인 물방울을 2개 찾아 ○표 하세요.

4일
모음자 ㅜ, ㅠ
빨간색으로 쓴 모음자를 붙임 딱지에서 찾아 붙이세요.
붙임 딱지 6쪽
유리
문
우산

◆ 모음자의 이름을 읽고, 써 보세요.

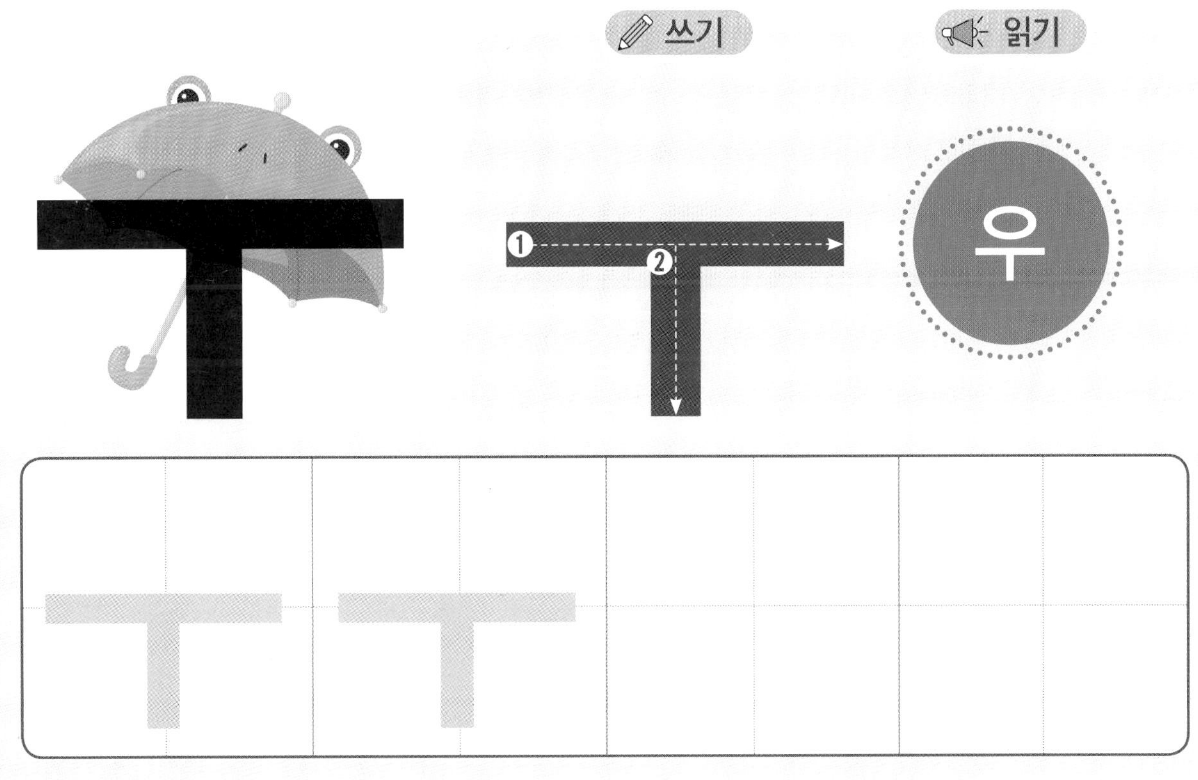

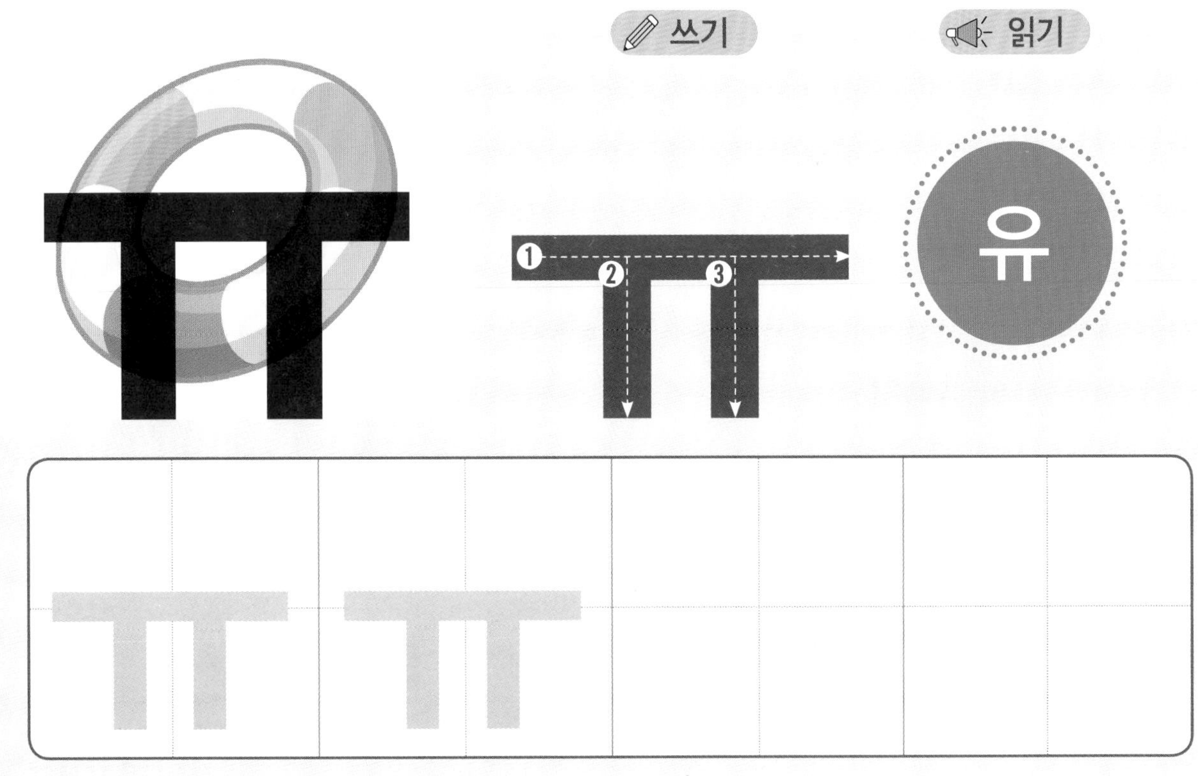

◆ 모음자 ㅜ와 ㅠ를 바르게 써 보세요.

◆ 모음자 ㅜ와 ㅠ가 들어간 낱말을 선으로 그으세요.

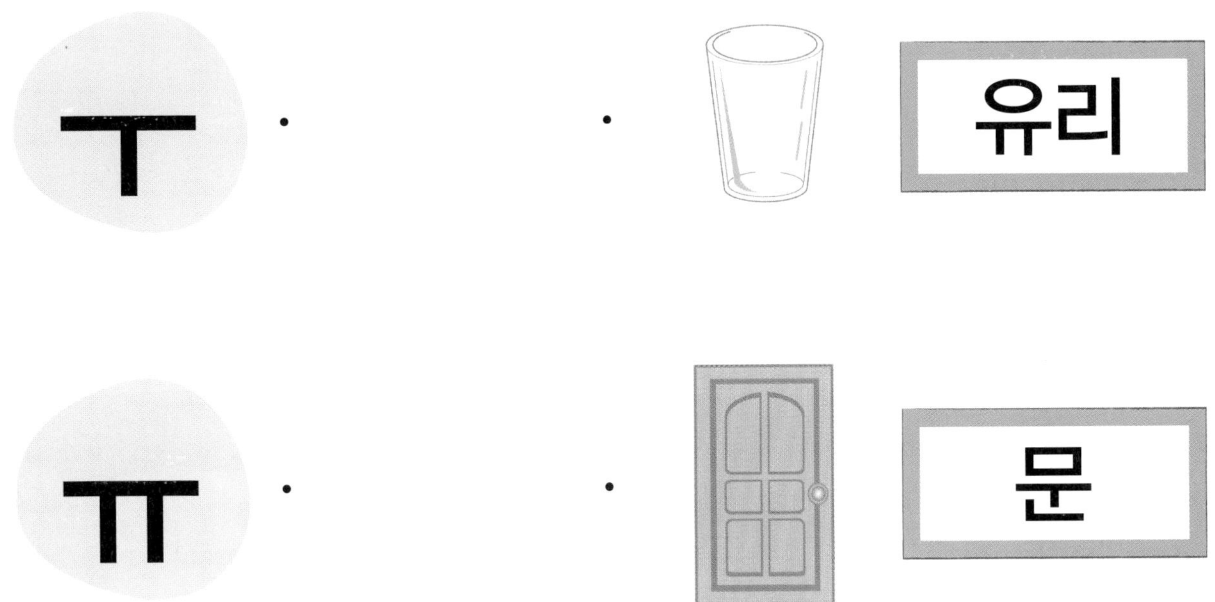

◆ 그림을 보고 바르게 쓴 낱말에 ○표 하세요.

[눈 / 뉸] 사람과 [유산 / 우산]을 썼어요.

5일 모음자 ㅡ, ㅣ

빨간색으로 쓴 모음자를 붙임 딱지에서 찾아 붙이세요.

붙임 딱지 6쪽

◆ 모음자의 이름을 읽고, 써 보세요.

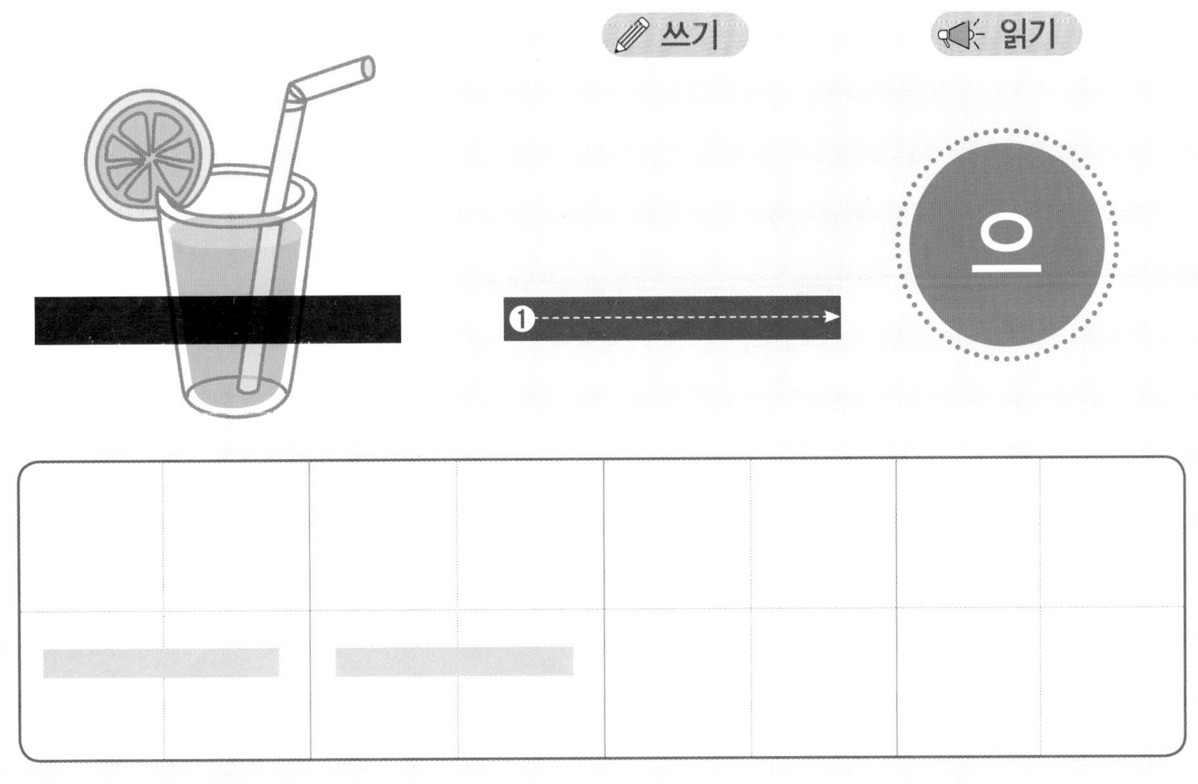

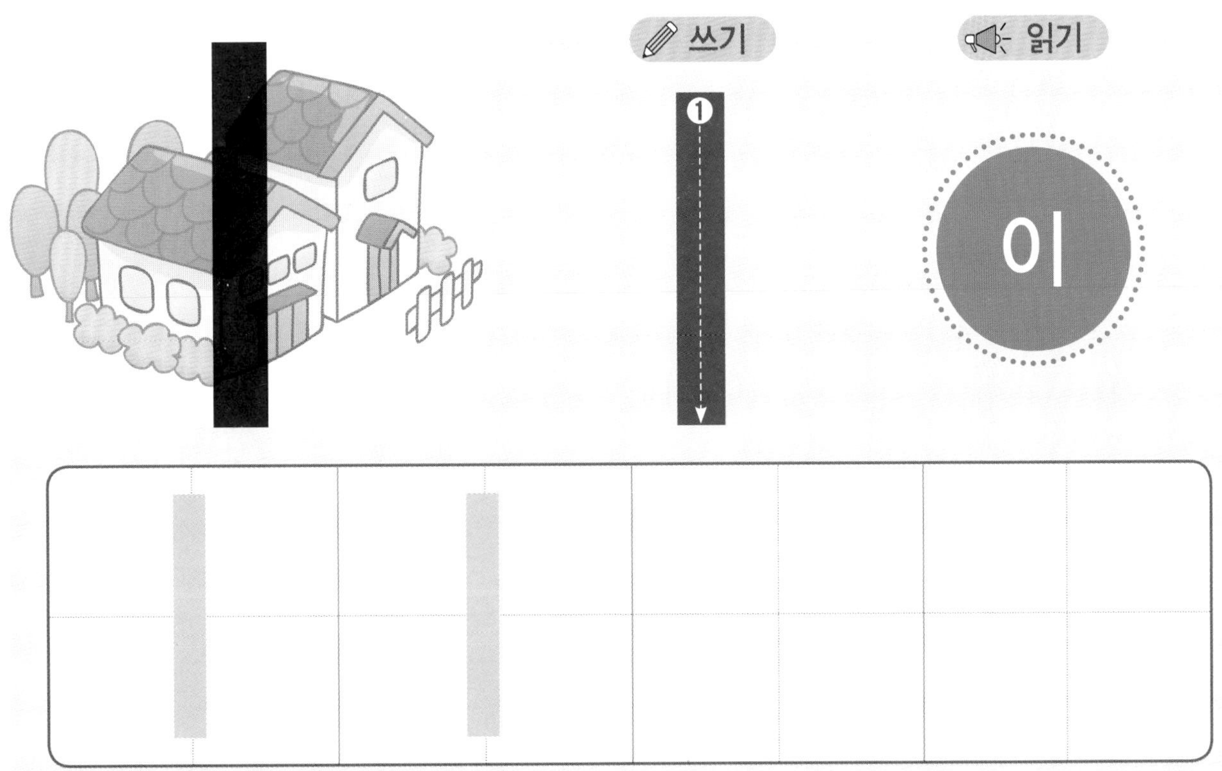

5일 모음자 ㅡ, ㅣ

◆ 모음자 ㅡ와 ㅣ를 바르게 써 보세요.

◆ 모음자 ㅡ와 ㅣ가 들어간 낱말을 선으로 그으세요.

◆ 모음자 ㅡ가 들어간 나무를 2그루 찾아 ○표 하세요.

3주 누구나 100점 TEST

점수

◆ 다음 그림을 보고 알맞은 모음자를 써넣어 낱말을 완성하세요.

1

ㅅ	자

2

ㄱ	울

3

ㅇ	이

4

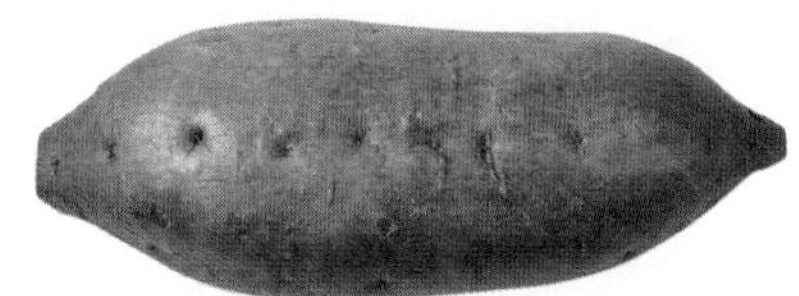

ㄱ	ㄱ	마

5

ㄷ	ㄷ	ㅈ

◆ 다음 글자에 모두 쓰인 모음자에 ○표 하세요.

6 여름 겨울 | ㅑ ㅕ ㅡ

7 유리 두유 | ㅜ ㅠ ㅣ

◆ 다음 에 모두 들어갈 모음자를 쓰세요.

8  ㅅ 자  바ㄷ

9  ㄱ네  버ㅅ

10 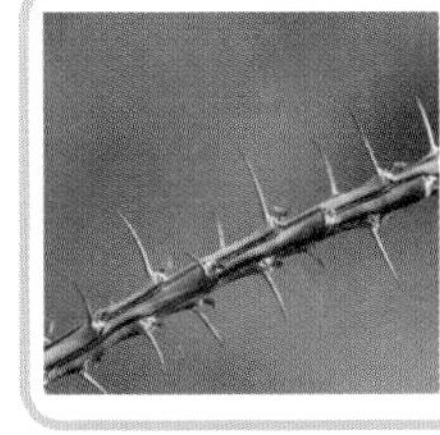 가ㅅ  ㅂ

3주

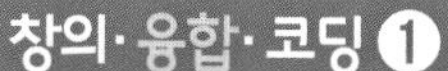

어휘력 쑥쑥

다음 낱말 카드에서 파란색 모음자가 잘못 쓰인 카드 두 가지에 ✕표 하세요.

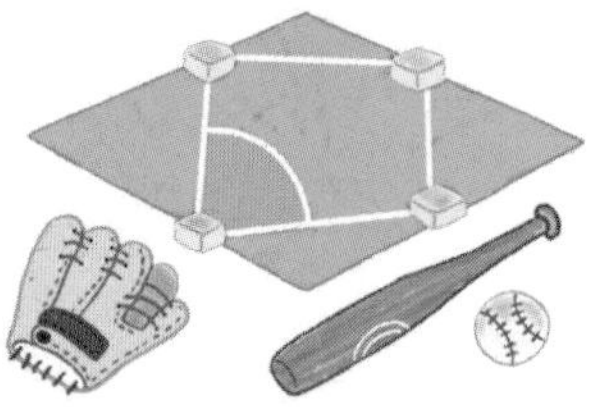

야구

벌

두우

버스

유정

영서가 놀이터에 가려고 해요. 다음 모음자가 들어가는 낱말의 순서대로 길을 찾아 선을 그으세요.

창의력 쑥쑥

📖 같은 모음자가 쓰인 낱말들이 모여 있어요. 잘못 들어간 그림을 두 개 찾아 ○표 하세요.

◐ 정답과 풀이 23쪽

사다리를 타고 내려가서 알맞은 낱말에 ○표 하세요.

3주

사고력 쑥쑥

재호가 수영장에 왔어요. 틀린 낱말이 적힌 망가진 튜브를 찾아 ○표 하세요.

◐ 정답과 풀이 24쪽

알맞은 모음자를 써넣어 낱말 카드를 완성하세요.

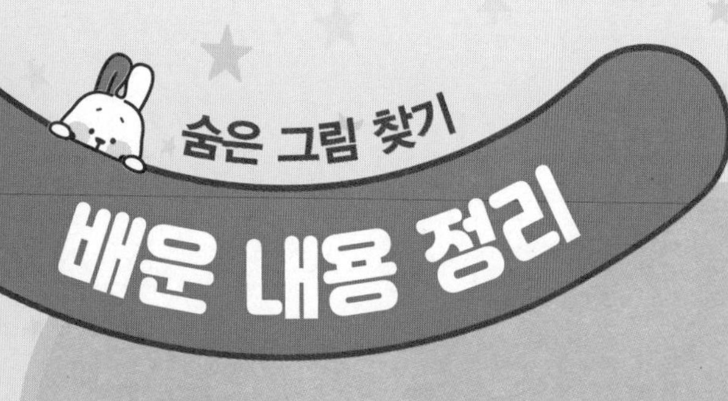

◆ 그림에 숨어 있는 자음자와 모음자를 찾아 ○표 하세요.

ㅅ

모자

새

토마토

ㅌ

◐ 정답과 풀이 25쪽

신경향·신유형

재미있는 한글 퀴즈

◆ 자음자 ㄱ ~ ㅎ 구슬을 순서대로 꿰어 선을 이어 보세요.

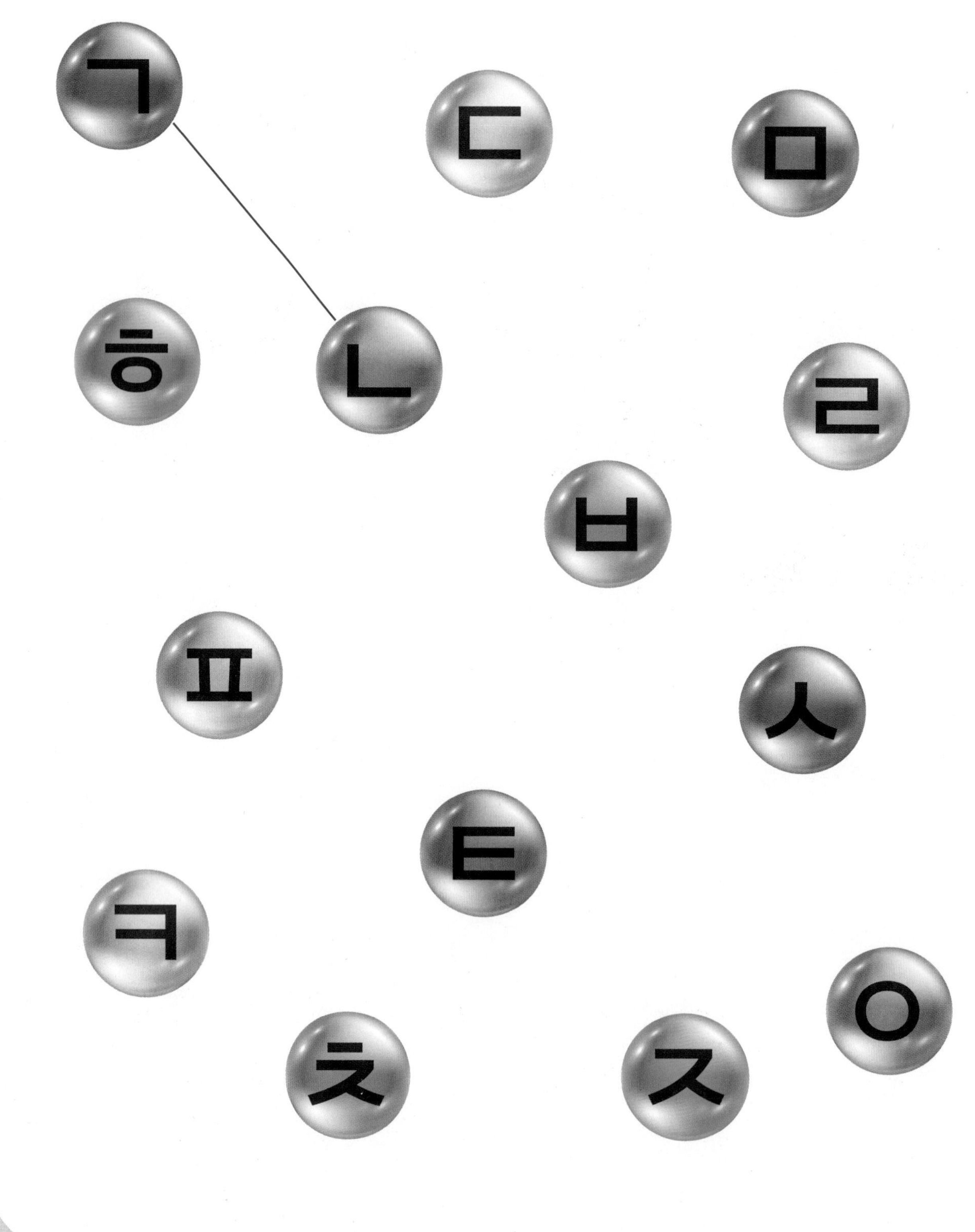

◆ 보기 와 같이 그림을 보고 떠오르는 자음자를 쓰세요.

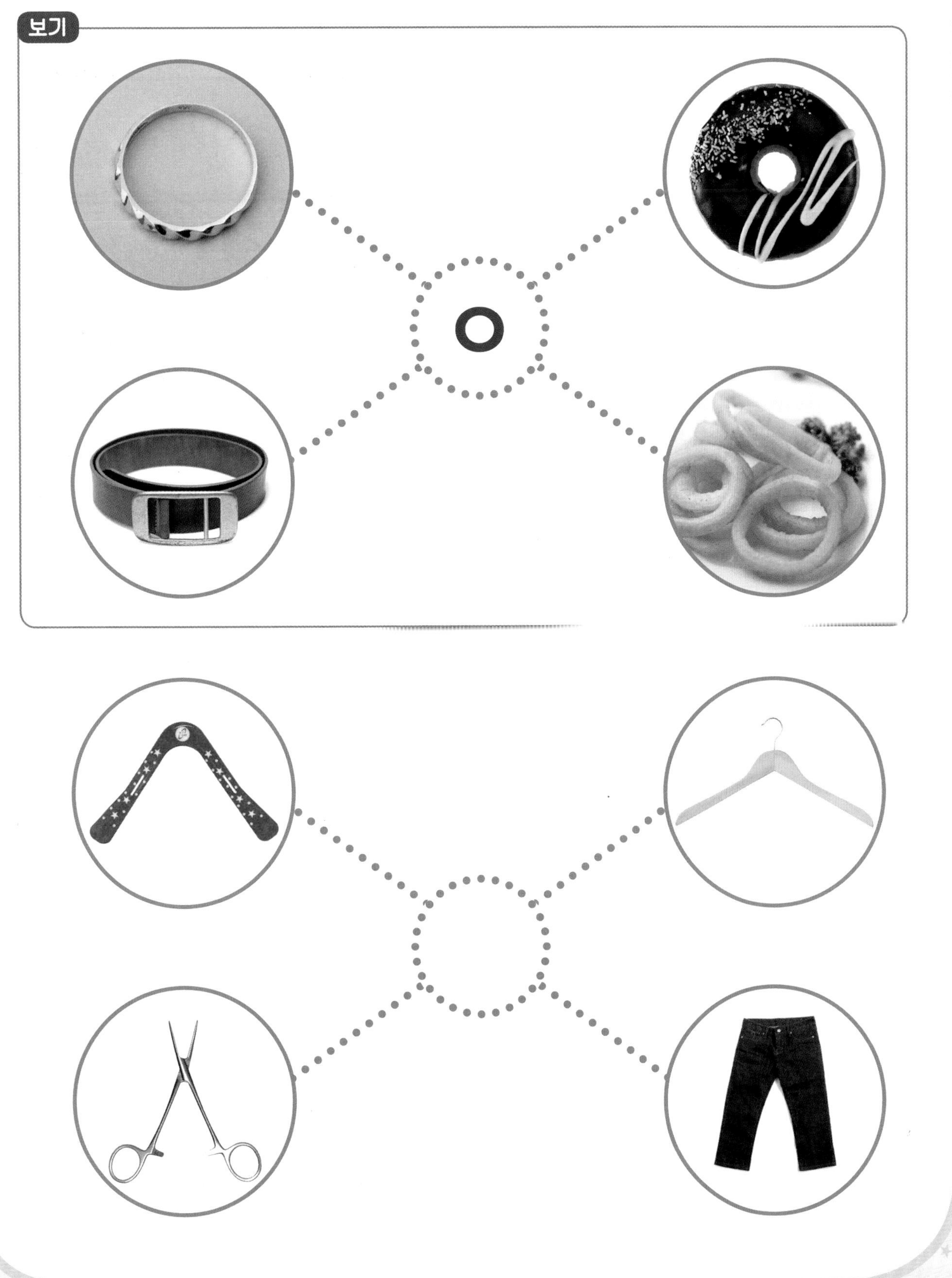

재미있는 한글 퀴즈 신경향·신유형

◆ 모음자 ㅏ 가 들어간 낱말에 빨간색, 모음자 ㅗ 가 들어간 낱말에 초록색을 색칠하여 그림을 완성하세요.

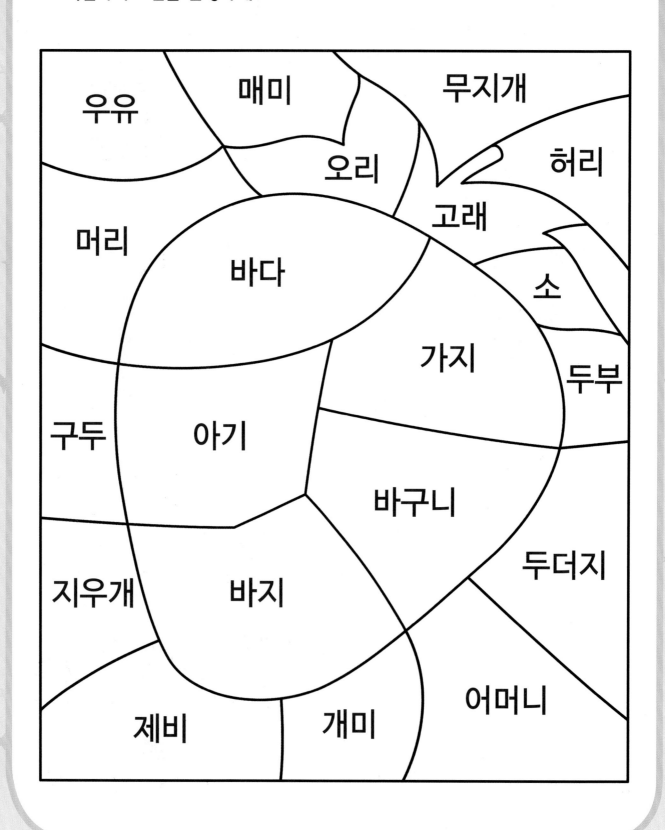

우유
매미
무지개
오리
허리
고래
머리
바다
소
가지
두부
구두
아기
바구니
두더지
지우개
바지
어머니
제비
개미

◐ 정답과 풀이 25~26쪽

◆ 나무 열매에 낱말이 쓰여 있어요. 나무마다 열매에 쓰인 낱말에 모두 들어간 모음자는 무엇인지 쓰세요.

기초 종합 정리 ❶

◆ 다음 그림을 보고 어떤 낱자를 흉내내고 있는지 선으로 이어 보세요.

5
6
7
8

ㅅ
ㄹ
ㅂ
ㄷ

기초 종합 정리 ①

9

10

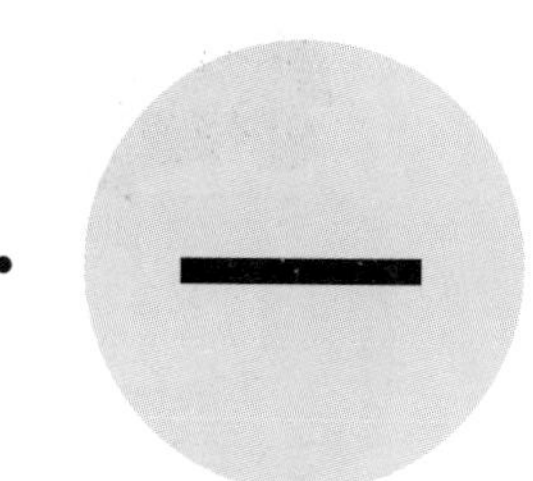

11

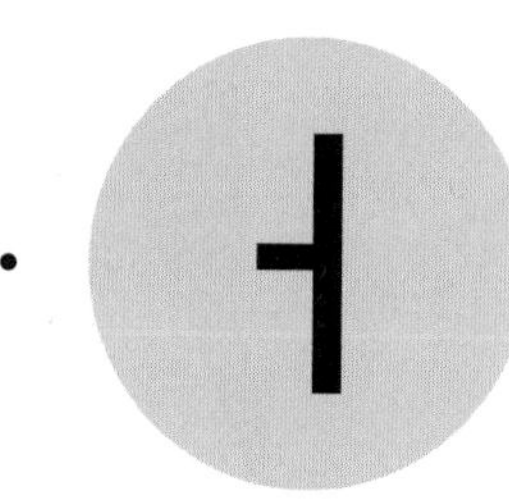

12

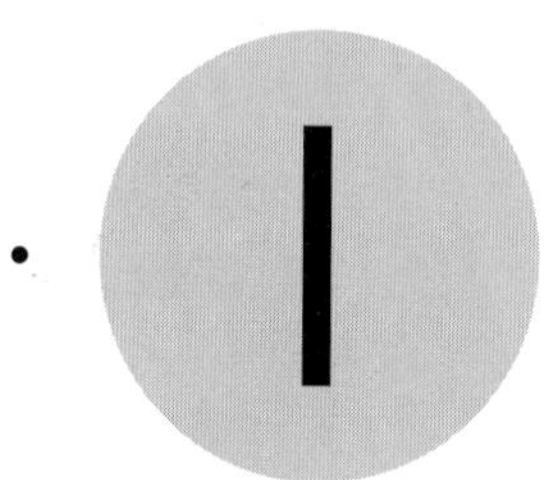

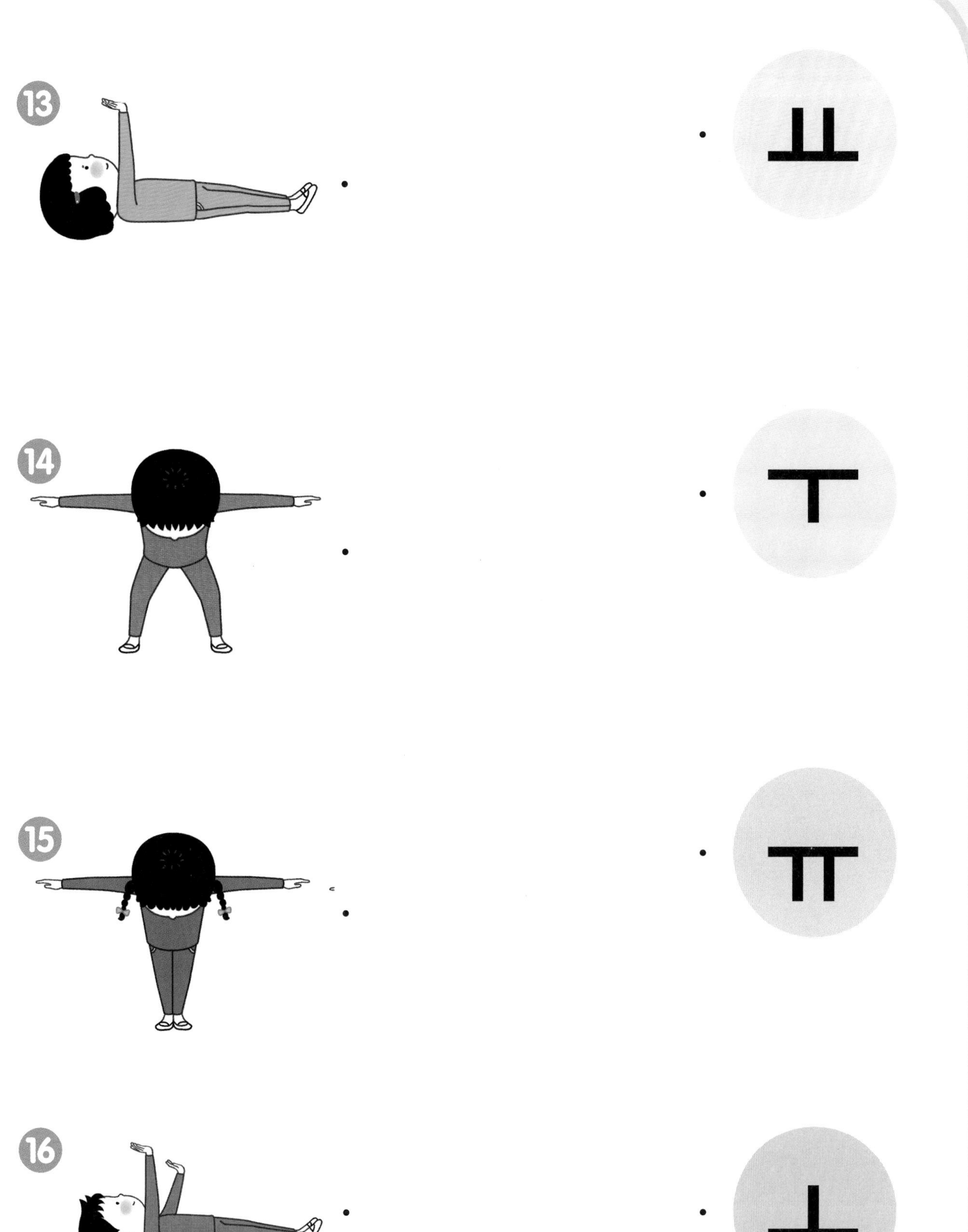
13
14
15
16
ㅛ
ㅜ
ㅠ
ㅗ

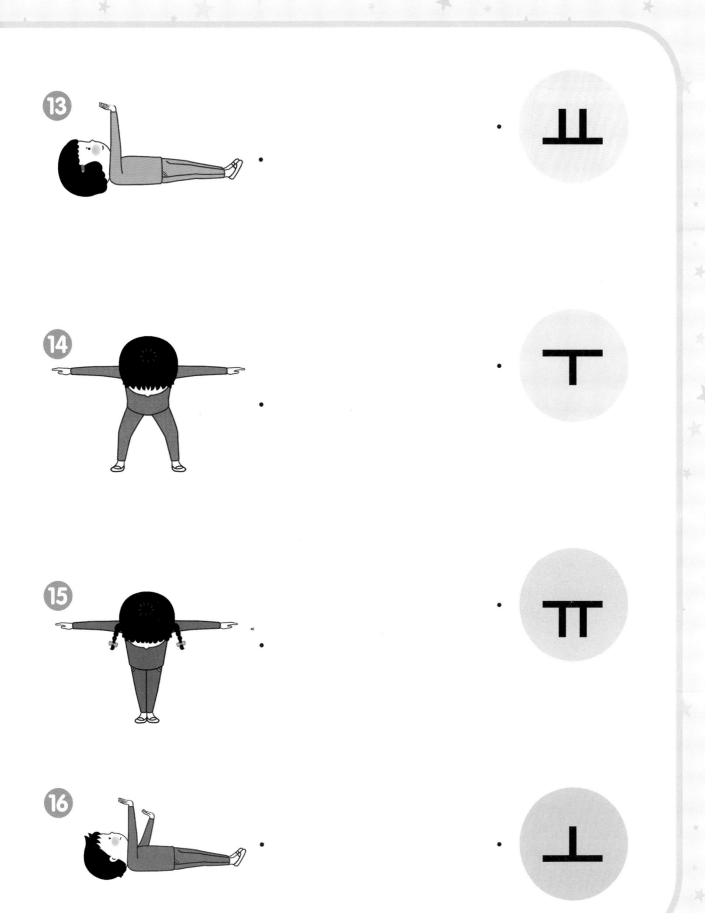

기초 종합 정리 ②

◆ 다음 그림을 보고 알맞은 자음자를 써넣어 낱말을 완성하세요.

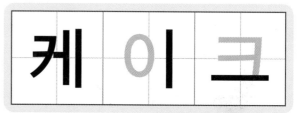

❶

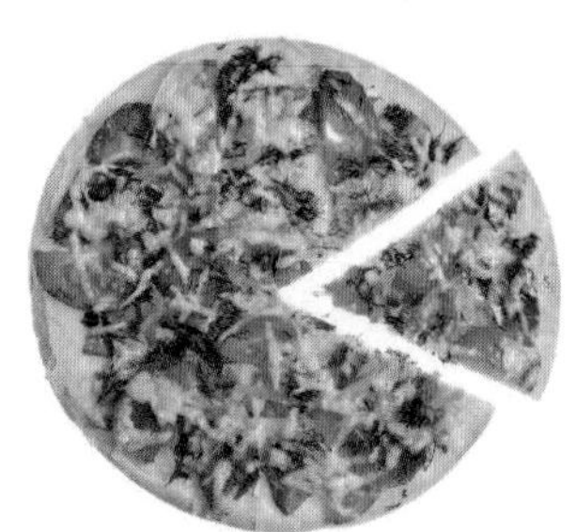

❷

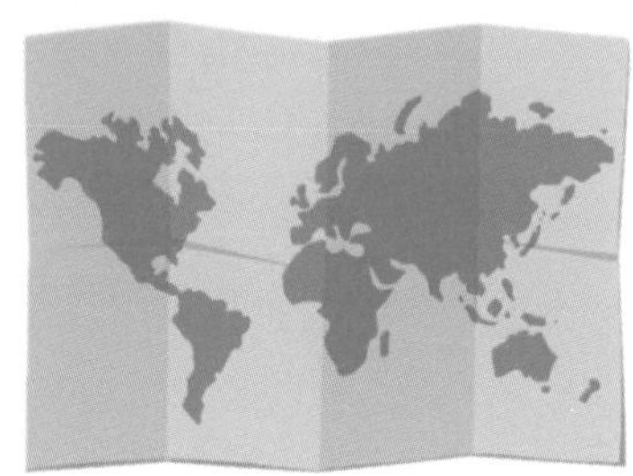

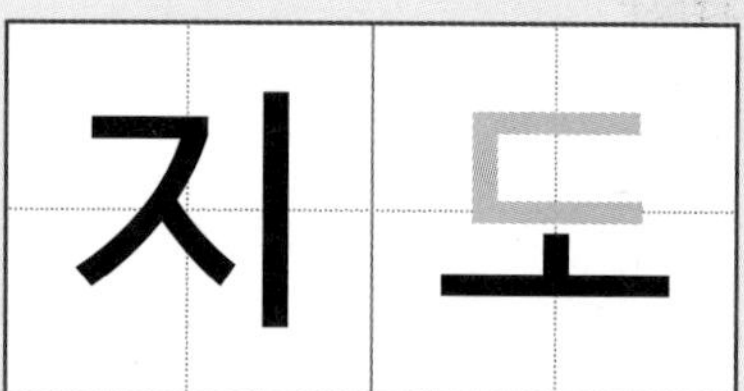

❸

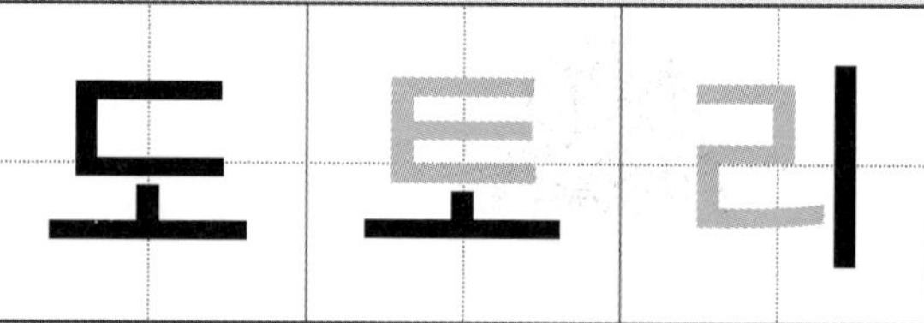

❹

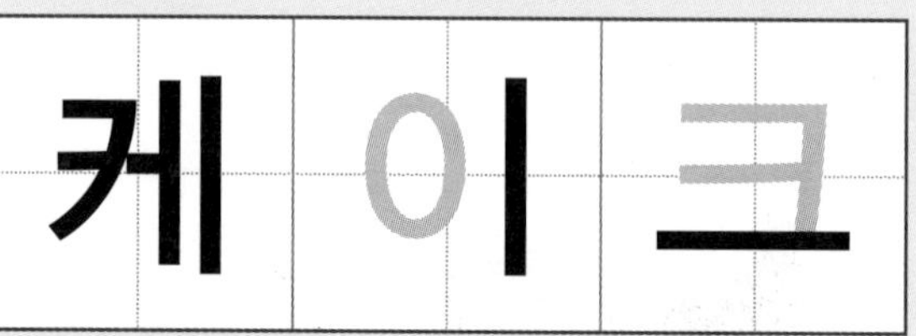

◆ 다음 그림을 보고 알맞은 모음자를 써넣어 낱말을 완성하세요.

1

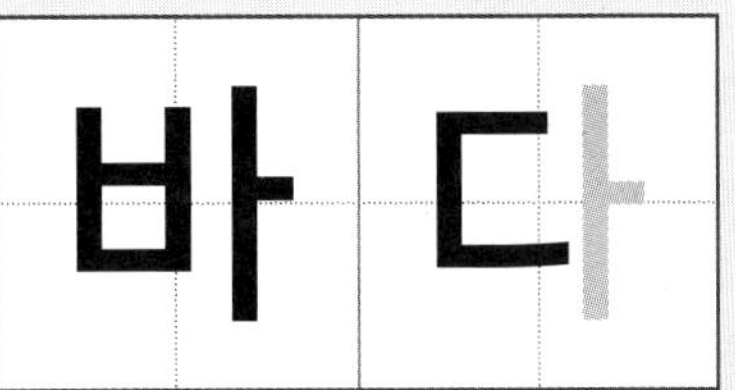

2

3

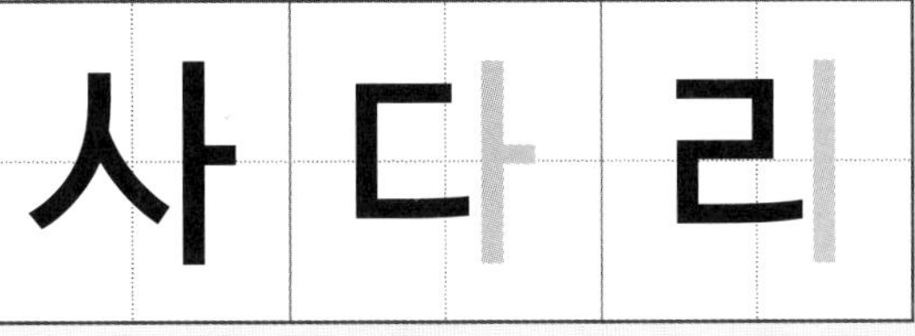

4

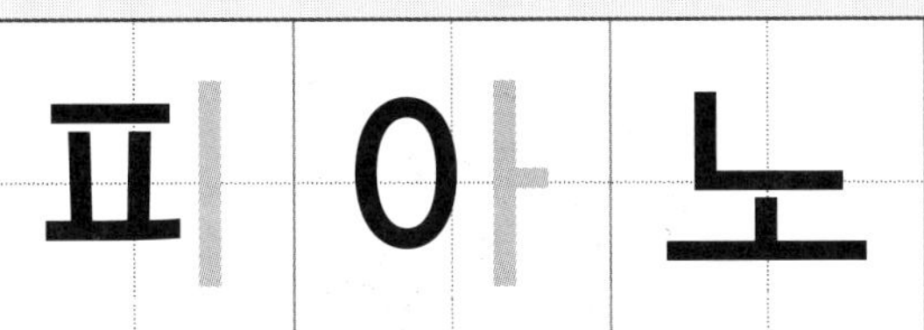

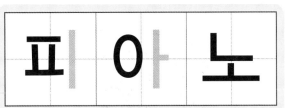

◆ 다음 그림을 보고 알맞은 글자를 써넣어 낱말을 완성하세요.

1

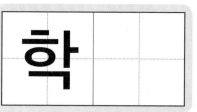

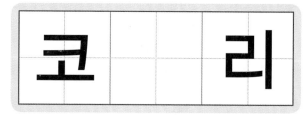

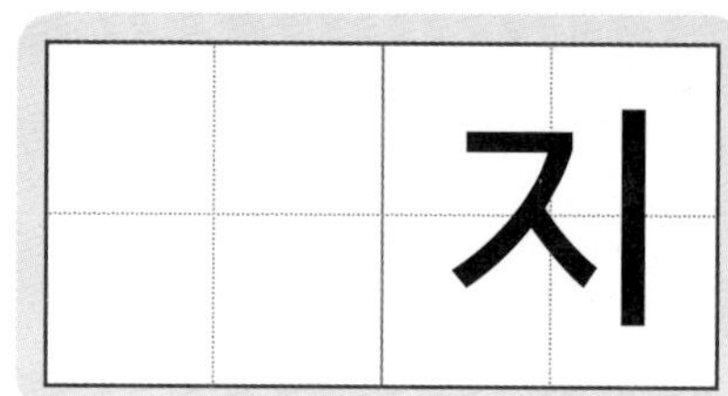

2

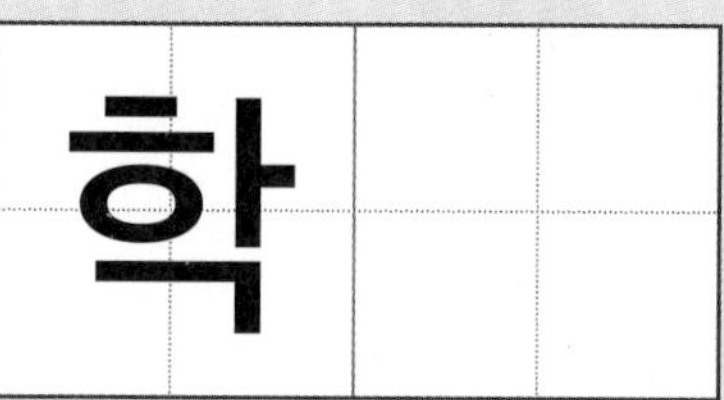

3

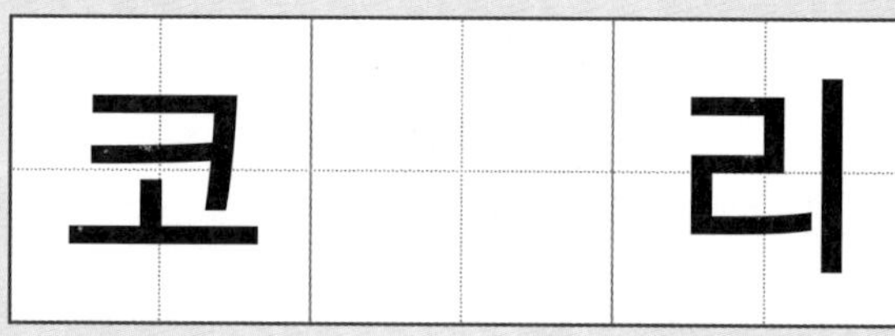

4

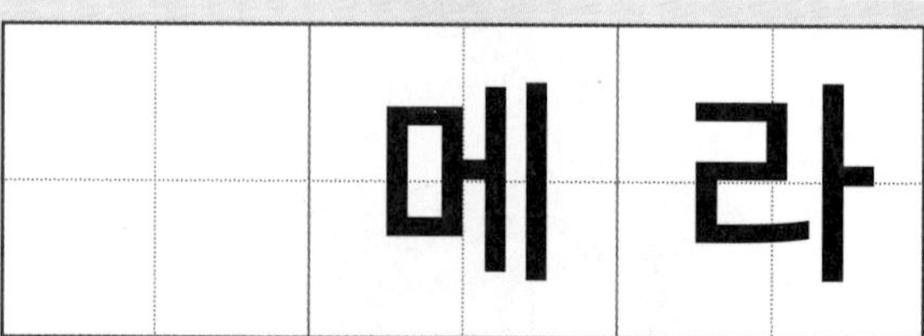

5

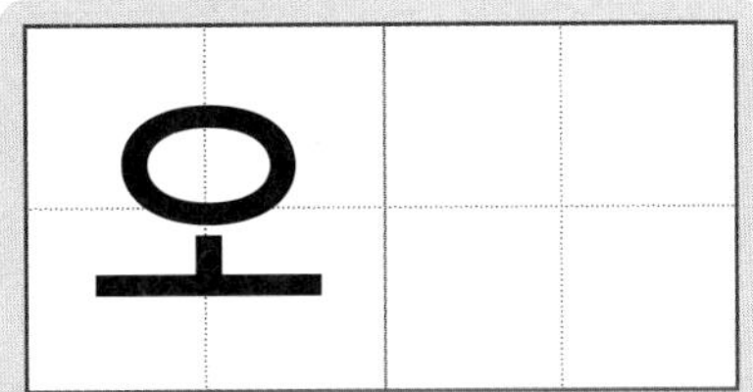

6

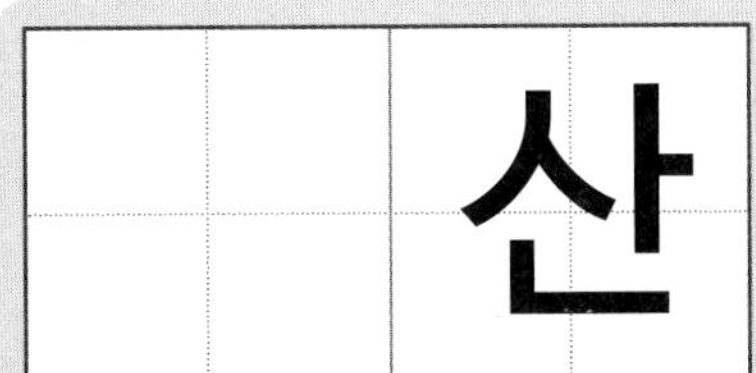

7

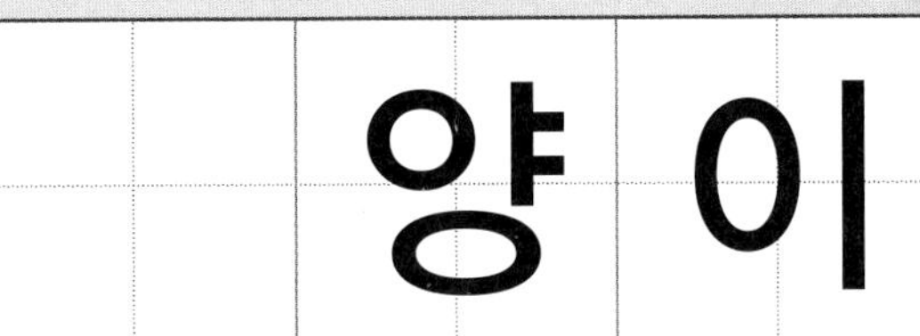

8

두 지

한글은 세종 대왕이 만든 우리나라의 글자예요.
백성을 사랑하는 마음으로
누구나 쉽게 배울 수 있도록 만들었지요.
소중하고 고운 한글로 우리의 생각과 말을 담아 보아요.
한
글
사
랑

이름 ____________

위 어린이는 **똑똑한 하루 어휘**

예비 초등 A단계를

열심히 공부하였으므로

크게 칭찬하며 이 상장을 드립니다.

년 월 일

기초 학습능력 강화 프로그램

매일매일 쌓이는 국어 기초력

똑똑한 하루

독해&어휘&글쓰기

공부 습관 형성	**국어 기초력 향상**	**재미있는 놀이 학습**
10분이면 하루치 공부를 마칠 수 있어서 아이들 스스로 쉽게 학습할 수 있도록 구성	어휘는 물론 독해에서 글쓰기까지 초등 국어 전 영역을 책임지는 완벽한 커리큘럼으로 국어 기초력 향상	꼭 필요한 상식과 함께 창의적 사고력 확장을 돕는 게임 형식의 구성으로 즐겁게 학습

쉽다! 재미있다! 똑똑하다! 똑똑한 하루 시리즈

예비초~6학년 각 A·B (14권)

기초
학습능력 강화
프로그램

똑 똑 한

하루 어휘

한글 익히기

정답과 풀이

예비초 A

천재교육

똑 똑 한

하루 어휘

한글 익히기

자음자를 배워요

붙임 딱지 1쪽

10~11쪽에 붙이세요.

하루 공부를 끝내고 스케줄표에 붙여 보세요!

붙임 딱지 2쪽

1일 12쪽에 붙이세요.

ㄱ ㄱ ㄴ

2일 16쪽에 붙이세요.

ㄷ ㄹ ㄹ

3일 20쪽에 붙이세요.

4일 24쪽에 붙이세요.

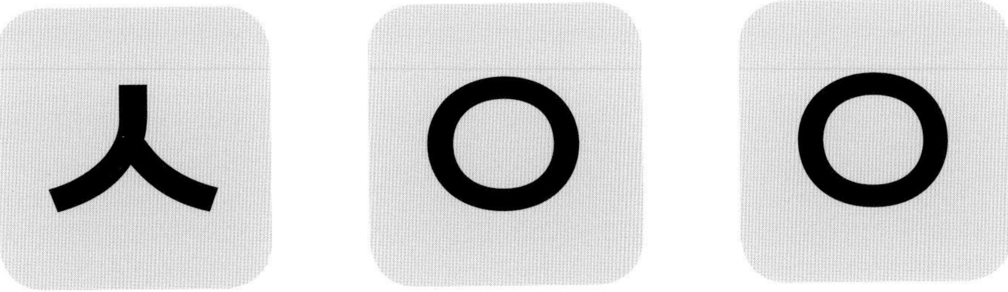

5일 28쪽에 붙이세요.

ㅈ ㅈ ㅊ

자음자를 배워요

붙임 딱지 3쪽

42~43쪽에 붙이세요.

하루 공부를 끝내고 스케줄표에 붙여 보세요!

붙임 딱지 4쪽

1일 44쪽에 붙이세요.

ㅋ ㅌ ㅌ ㅌ

2일 48쪽에 붙이세요.

ㅍ ㅍ ㅍ ㅎ

3일 52쪽에 붙이세요.

ㄲ ㄲ ㄸ ㄸ

4일 56쪽에 붙이세요.

ㅃ ㅃ ㅆ ㅆ

5일 60쪽에 붙이세요.

ㅉ ㅉ ㅉ ㅉ

모음자를 배워요

붙임 딱지 5쪽

74~75쪽에 붙이세요.

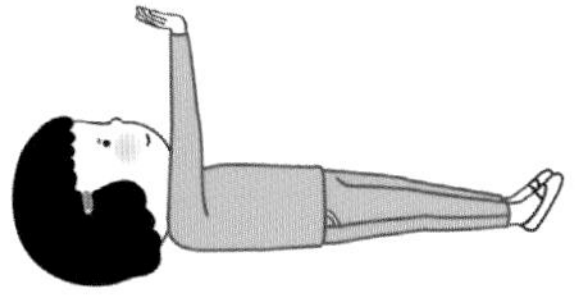
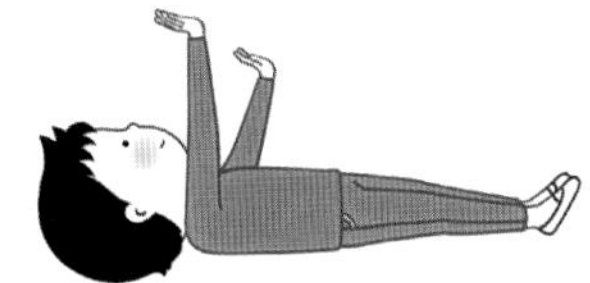

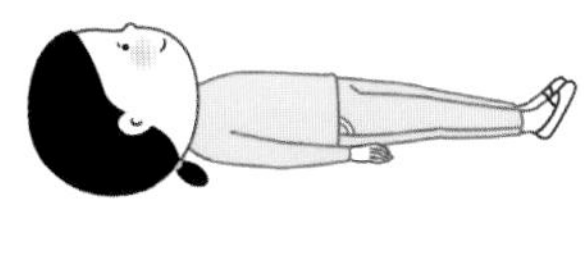

하루 공부를 끝내고 스케줄표에 붙여 보세요!

3주 모음자를 배워요

붙임 딱지 6쪽

1일 76쪽에 붙이세요.

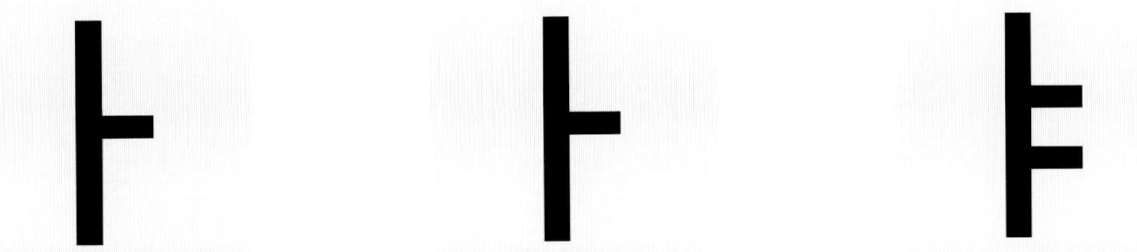

2일 80쪽에 붙이세요.

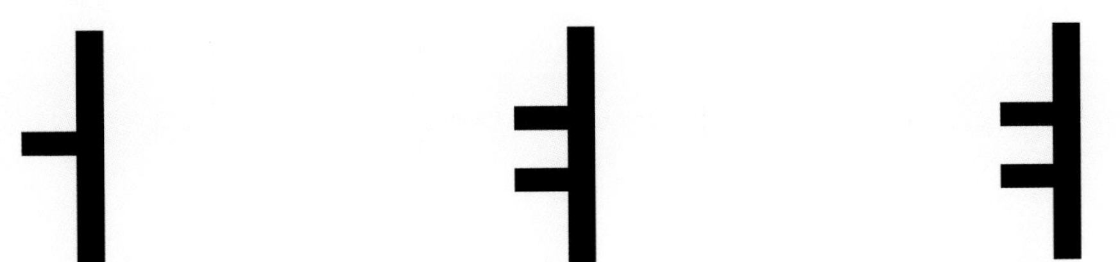

3일 84쪽에 붙이세요.

4일 88쪽에 붙이세요.

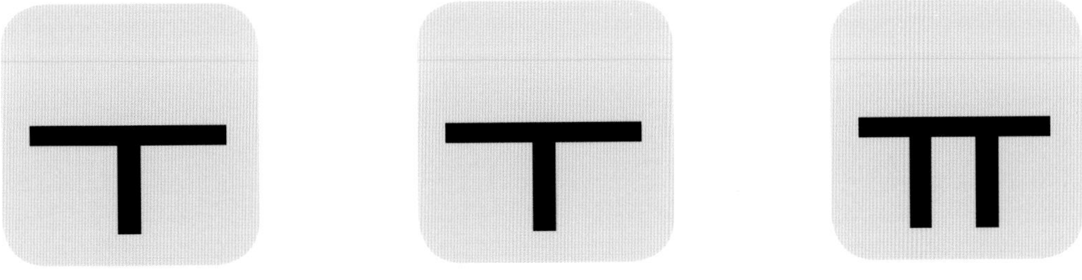

5일 92쪽에 붙이세요.

정답과 풀이

자음자를 배워요 (ㄱ~ㅊ)

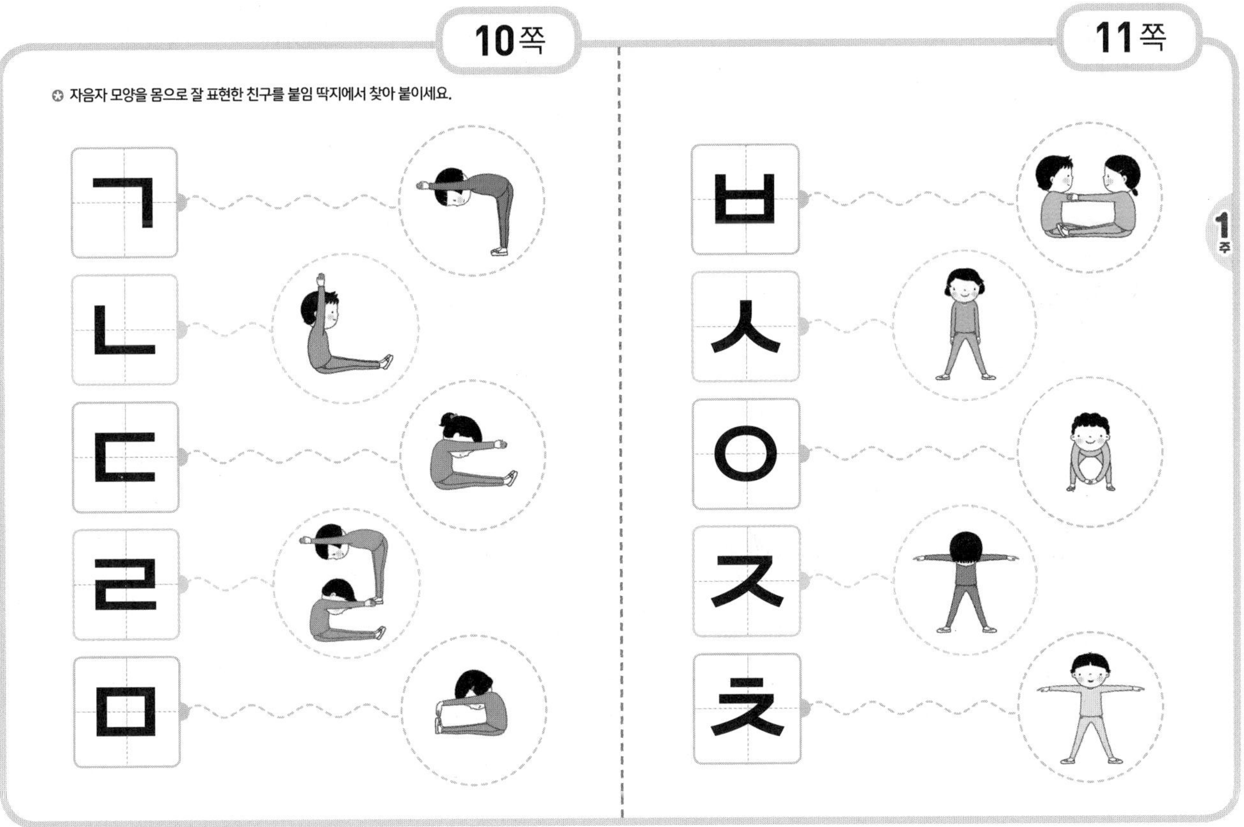

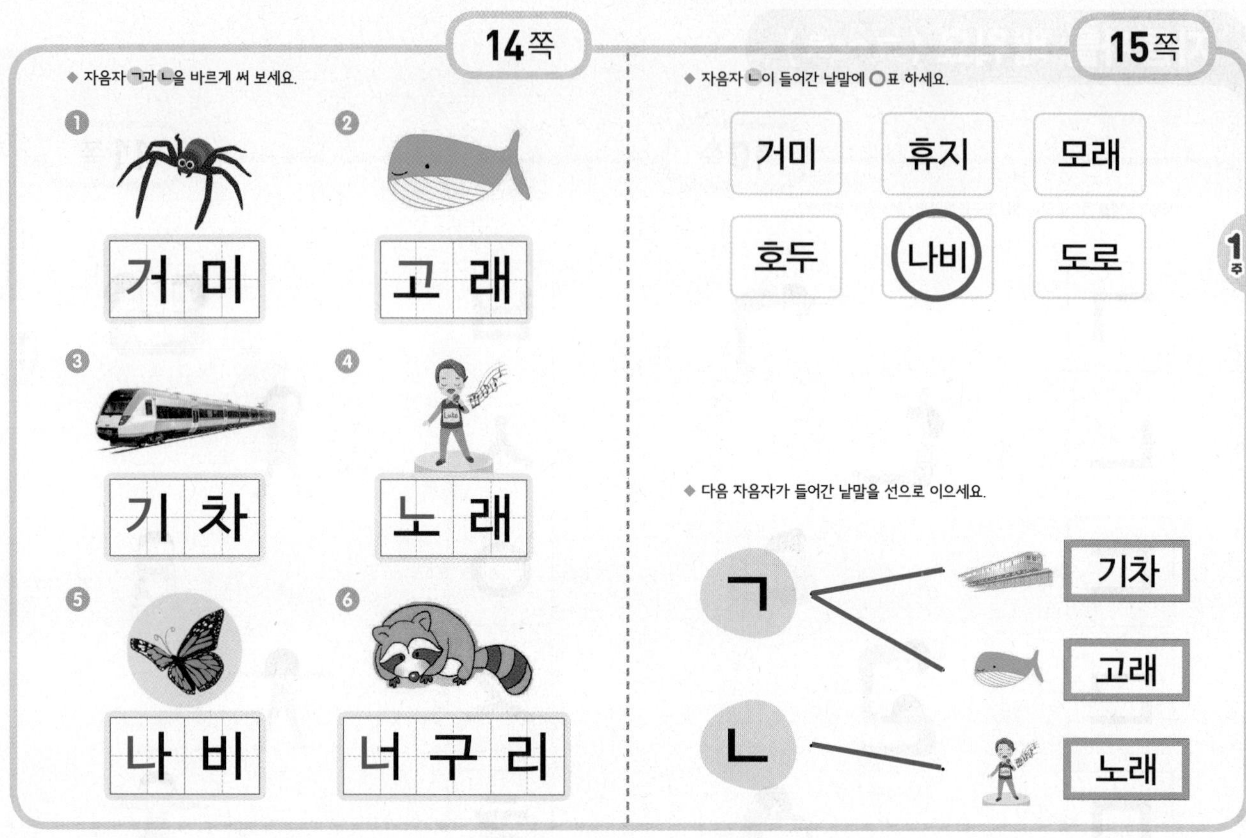
14쪽
자음자 ㄱ과 ㄴ을 바르게 써 보세요.
거미
고래
기차
노래
나비
너구리
15쪽
자음자 ㄴ이 들어간 낱말에 ○표 하세요.
거미
휴지
모래
호두
나비
도로
다음 자음자가 들어간 낱말을 선으로 이으세요.
ㄱ
ㄴ
기차
고래
노래

2일 모음자 ㄷ, ㄹ
16쪽
다리
ㄷ
ㄹ
오리
레몬
ㄹ
17쪽
자음자의 이름을 읽고, 써 보세요.
쓰기
읽기
ㄷ
디귿
ㄷ ㄷ ㄷ ㄷ
ㄹ
리을
ㄹ ㄹ ㄹ ㄹ

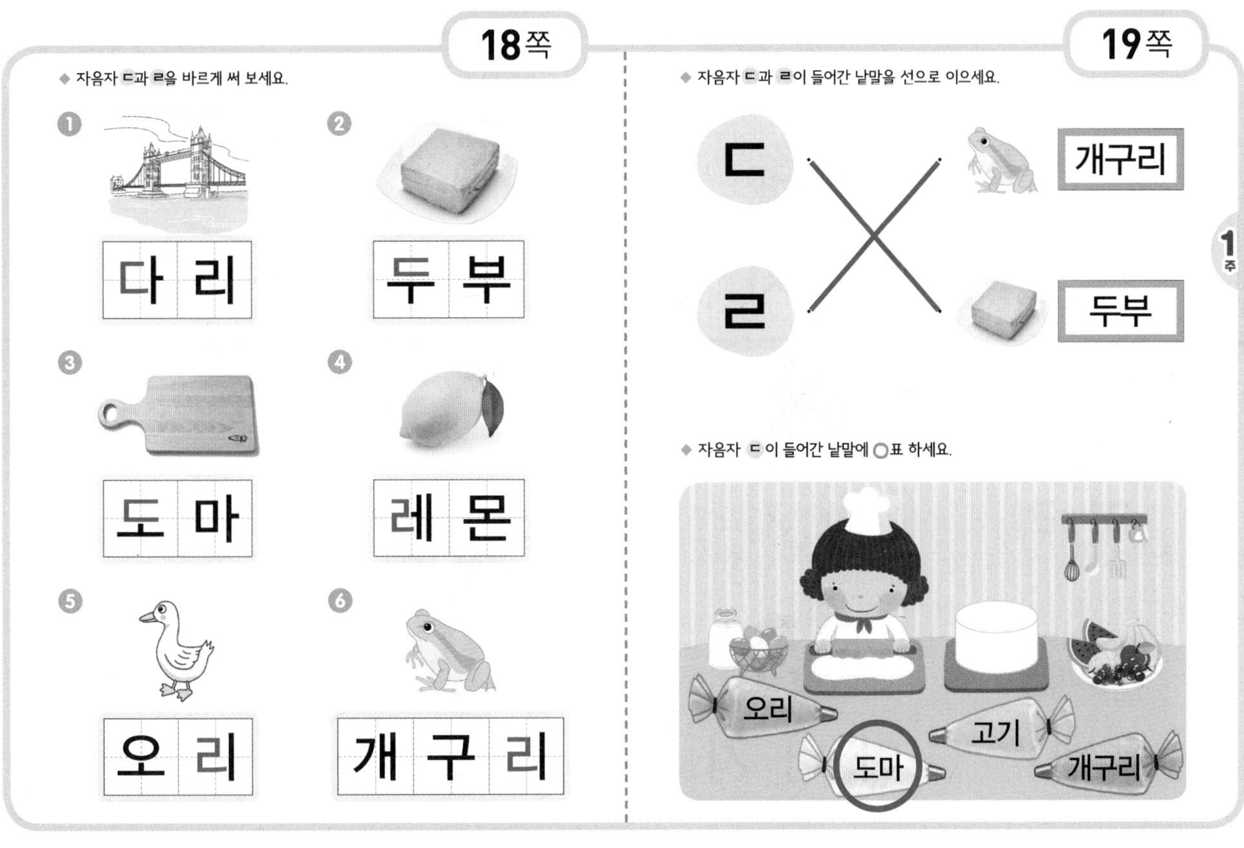
18쪽
◆ 자음자 ㄷ과 ㄹ을 바르게 써 보세요.
1 다 리
2 두 부
3 도 마
4 레 몬
5 오 리
6 개 구 리
19쪽
◆ 자음자 ㄷ과 ㄹ이 들어간 낱말을 선으로 이으세요.
ㄷ
ㄹ
개구리
두부
◆ 자음자 ㄷ이 들어간 낱말에 ○표 하세요.
오리
고기
도마
개구리

1주

3일 자음자 ㅁ, ㅂ
20쪽
ㅁ
머리
ㅁ
모자
ㅂ
배
20 / 똑똑한 하루 어휘 / 한글
21쪽
◆ 자음자의 이름을 읽고, 써 보세요.
쓰기
읽기
미음
ㅁ ㅁ ㅁ ㅁ
쓰기
읽기
비읍
ㅂ ㅂ ㅂ ㅂ

1주

1주 정답과 풀이

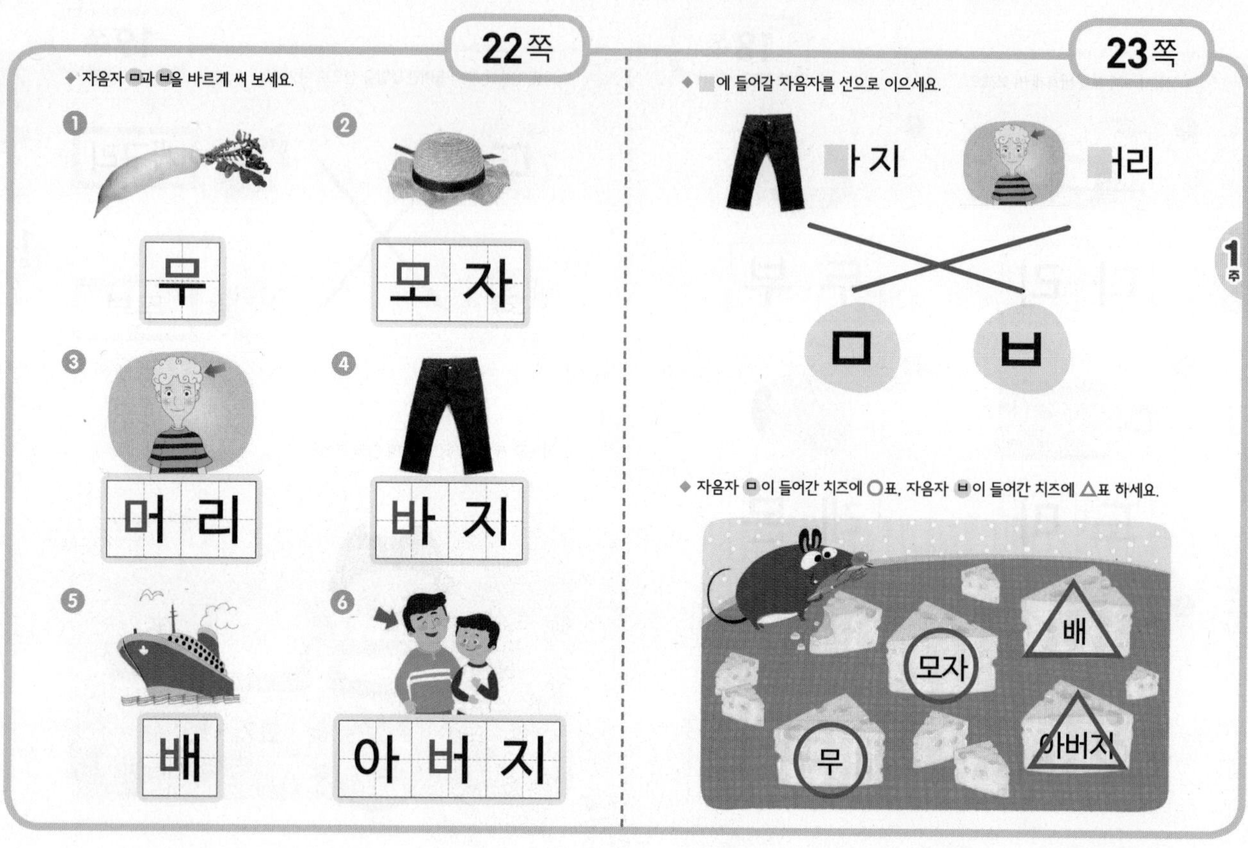
22쪽
◆ 자음자 ㅁ과 ㅂ을 바르게 써 보세요.
무
모 자
머 리
바 지
배
아 버 지
23쪽
◆ 에 들어갈 자음자를 선으로 이으세요.
ㅏ지
ㅓ리
ㅁ
ㅂ
◆ 자음자 ㅁ이 들어간 치즈에 ○표, 자음자 ㅂ이 들어간 치즈에 △표 하세요.
배
모자
무
아버지

4일 자음자 ㅅ, ㅇ
24쪽
ㅅ
새
아기
ㅇ
ㅇ
어머니
24 / 똑똑한 하루 어휘 / 한글
25쪽
◆ 자음자의 이름을 읽고, 써 보세요.
쓰기
읽기
ㅅ
시옷
ㅅ ㅅ ㅅ ㅅ
ㅇ
이응
ㅇ ㅇ ㅇ ㅇ

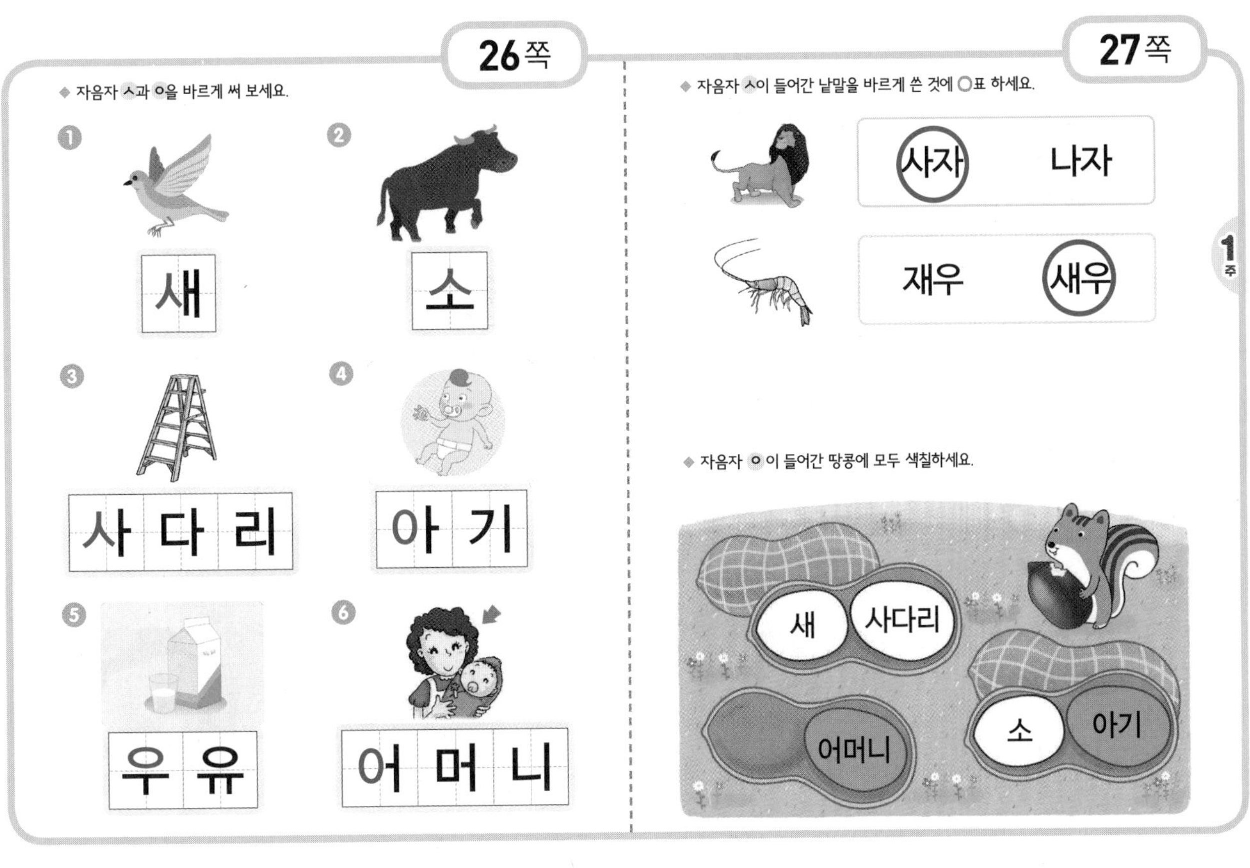
26쪽
◆ 자음자 ㅅ과 ㅇ을 바르게 써 보세요.
새
소
사 다 리
아 기
우 유
어 머 니
27쪽
◆ 자음자 ㅅ이 들어간 낱말을 바르게 쓴 것에 ○표 하세요.
사자
나자
재우
새우
◆ 자음자 ㅇ이 들어간 땅콩에 모두 색칠하세요.
새
사다리
어머니
소
아기
1주

5일 자음자 ㅈ, ㅊ
28쪽
지도
ㅈ
ㅊ
ㅈ
자라
초
28 / 똑똑한 하루 어휘 / 한글
29쪽
◆ 자음자의 이름을 읽고, 써 보세요.
쓰기
읽기
ㅈ
지읒
ㅈ ㅈ ㅈ ㅈ
ㅊ
치읓
ㅊ ㅊ ㅊ ㅊ
1주

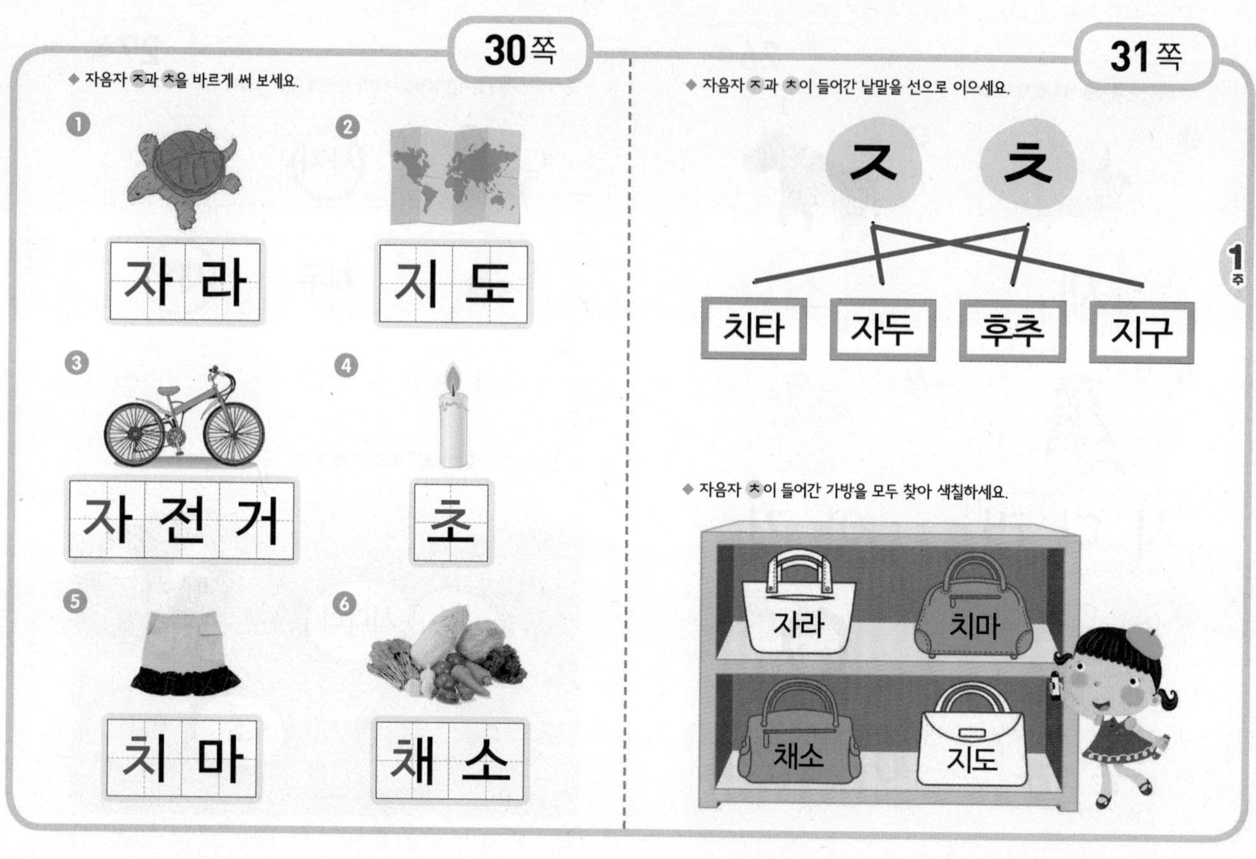
30쪽
◆ 자음자 ㅈ과 ㅊ을 바르게 써 보세요.
① 자라
② 지도
③ 자전거
④ 초
⑤ 치마
⑥ 채소
31쪽
◆ 자음자 ㅈ과 ㅊ이 들어간 낱말을 선으로 이으세요.
ㅈ
ㅊ
치타
자두
후추
지구
◆ 자음자 ㅊ이 들어간 가방을 모두 찾아 색칠하세요.
자라
치마
채소
지도

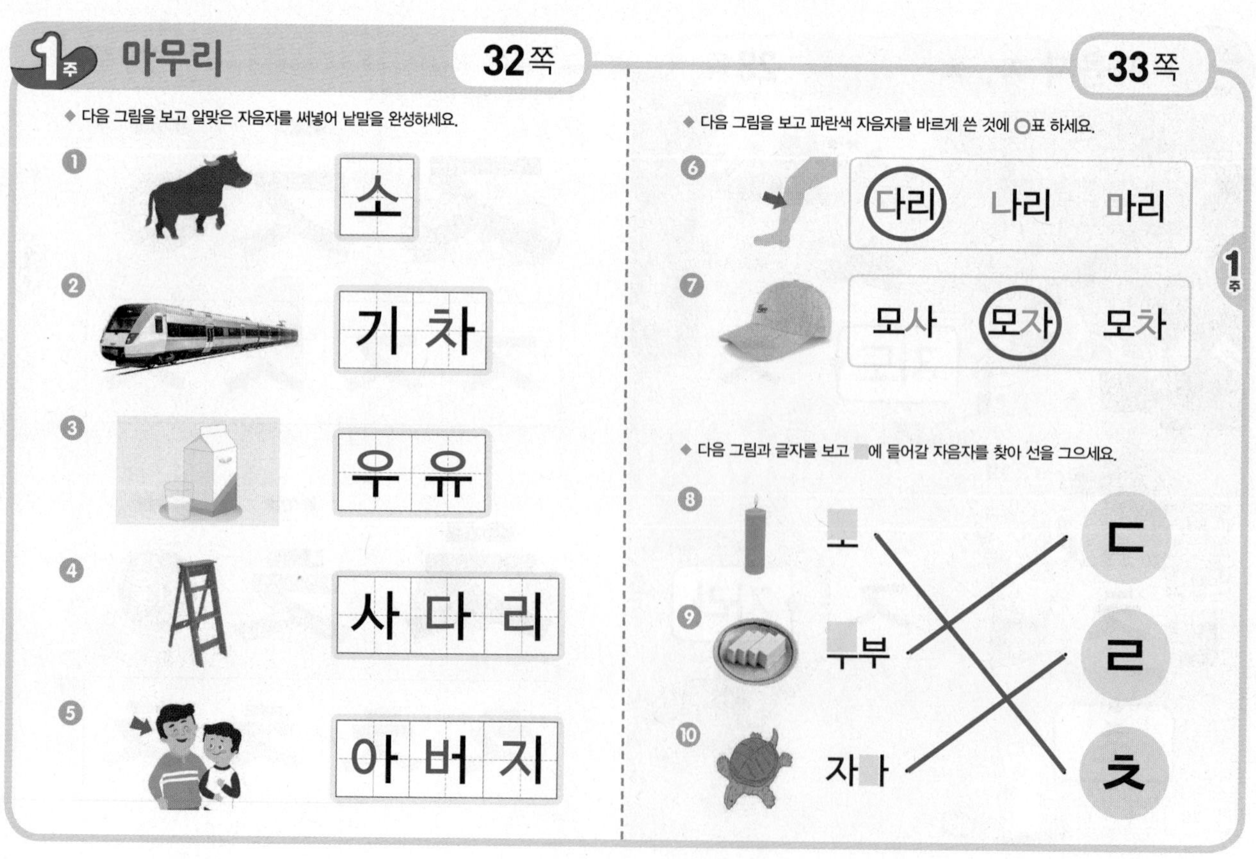
1주 마무리
32쪽
◆ 다음 그림을 보고 알맞은 자음자를 써넣어 낱말을 완성하세요.
① 소
② 기차
③ 우유
④ 사다리
⑤ 아버지
33쪽
◆ 다음 그림을 보고 파란색 자음자를 바르게 쓴 것에 ○표 하세요.
⑥ 다리 나리 마리
⑦ 모사 모자 모차
◆ 다음 그림과 글자를 보고 ▢에 들어갈 자음자를 찾아 선을 그으세요.
⑧ ▢ㅗ
⑨ ▢ㅜ부
⑩ 자▢ㅏ
ㄷ
ㄹ
ㅊ

정답과 풀이

1주

34쪽

다음 그림에서 파란색 자음자를 바르게 쓴 낱말을 따라 선을 그어 미로를 탈출하세요.

35쪽

빈칸에 들어갈 자음자를 알맞게 써넣어 끝말 잇기 놀이를 하세요.

36쪽

점선을 따라가 빈칸에 알맞은 글자를 써넣으세요.

37쪽

알맞은 자음자를 써넣어 낱말 카드를 완성하세요.

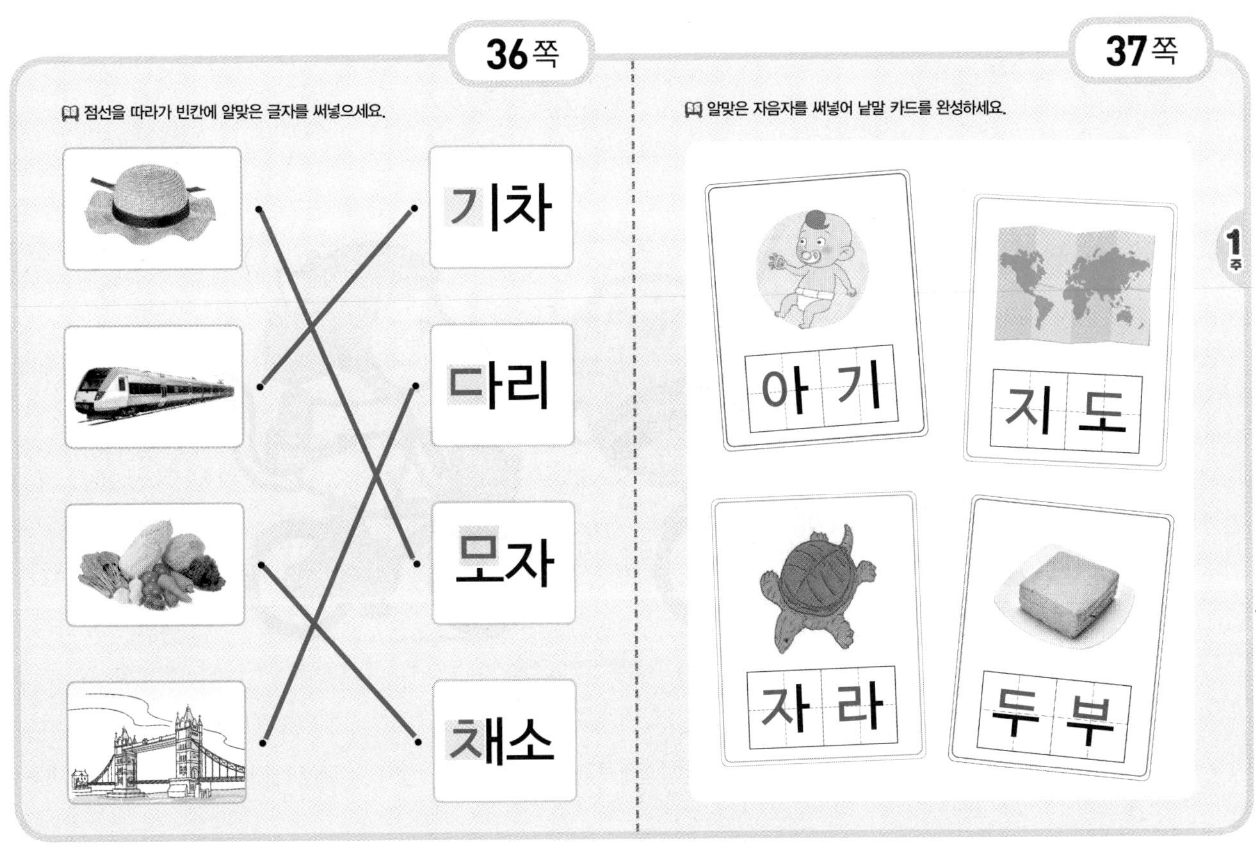

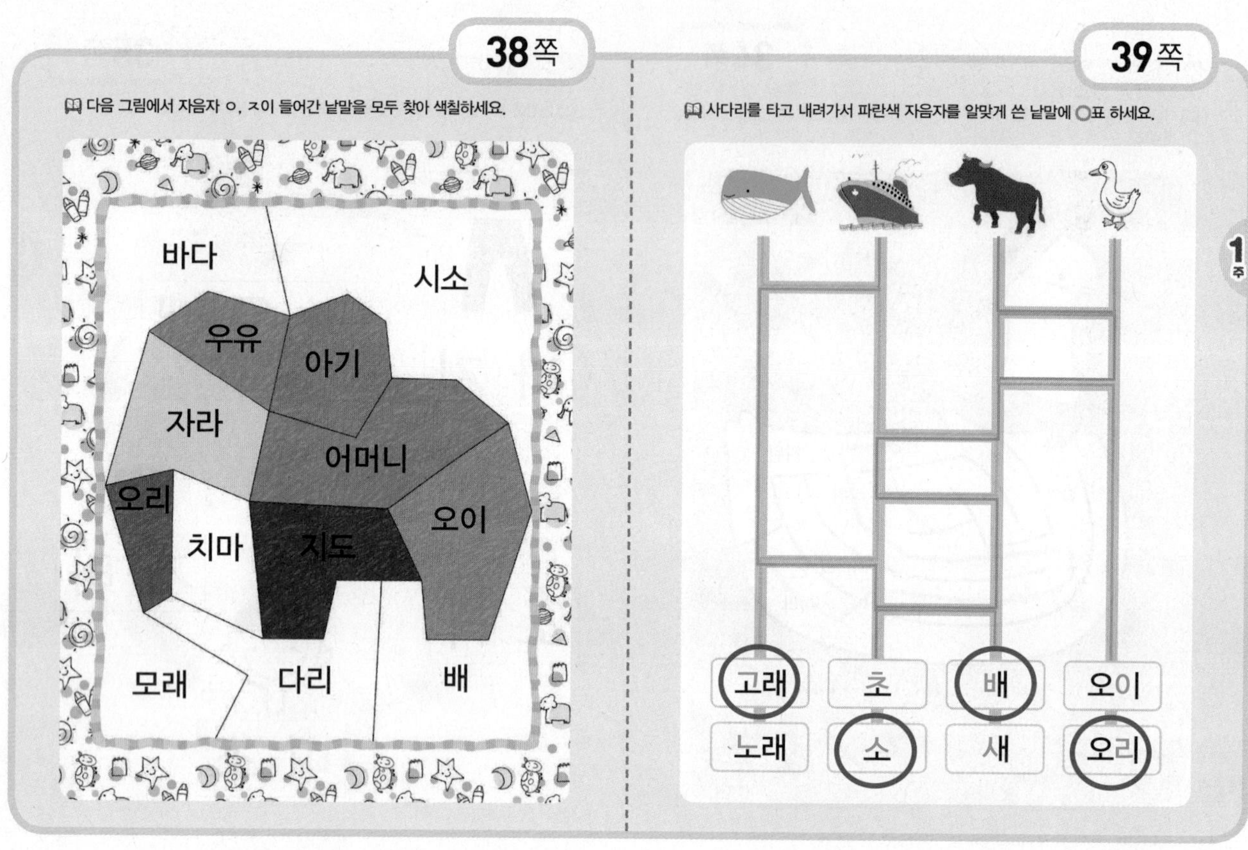
38쪽
다음 그림에서 자음자 ㅇ, ㅈ이 들어간 낱말을 모두 찾아 색칠하세요.
바다
시소
우유
아기
자라
어머니
오리
오이
치마
지도
모래
다리
배
39쪽
사다리를 타고 내려가서 파란색 자음자를 알맞게 쓴 낱말에 ○표 하세요.
고래
초
배
오이
노래
소
새
오리

자음자를 배워요 (ㅋ~ㅉ)

42쪽

43쪽

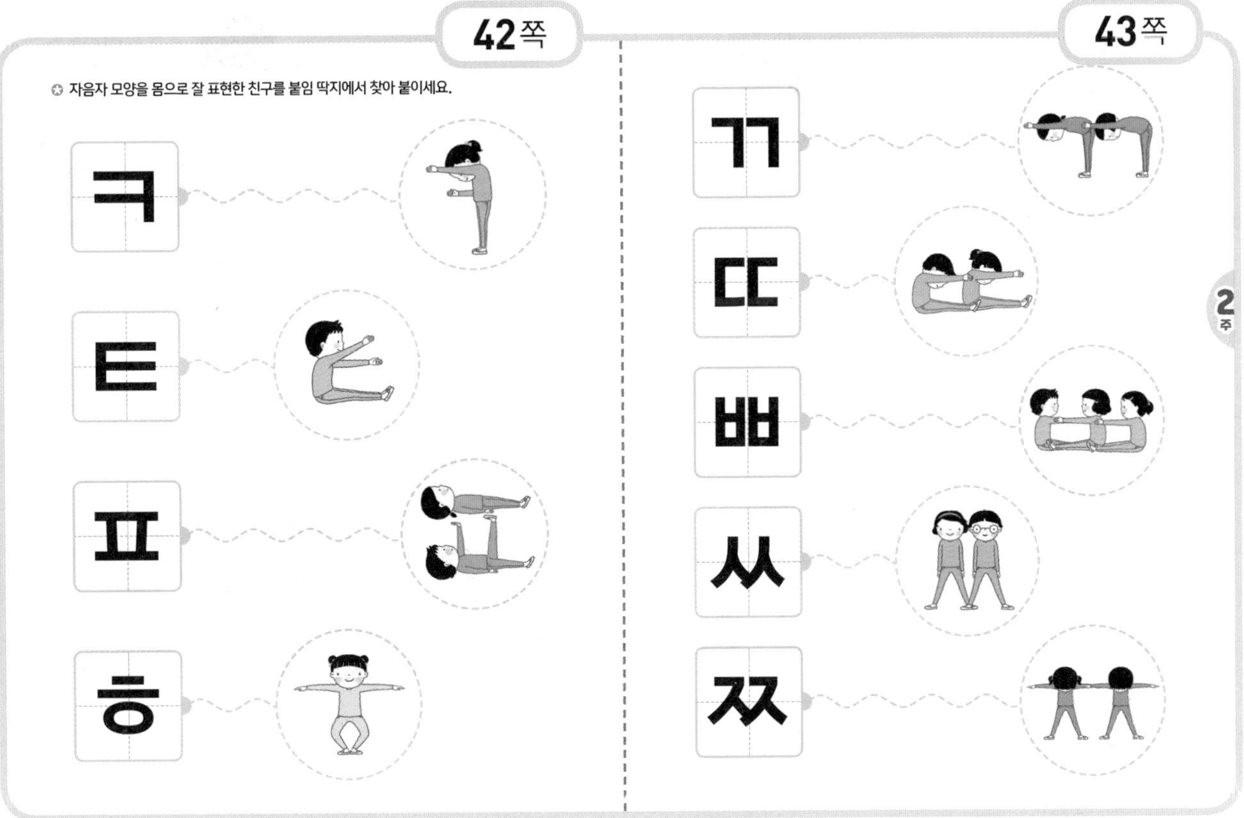

1일 자음자 ㅋ, ㅌ

44쪽

45쪽

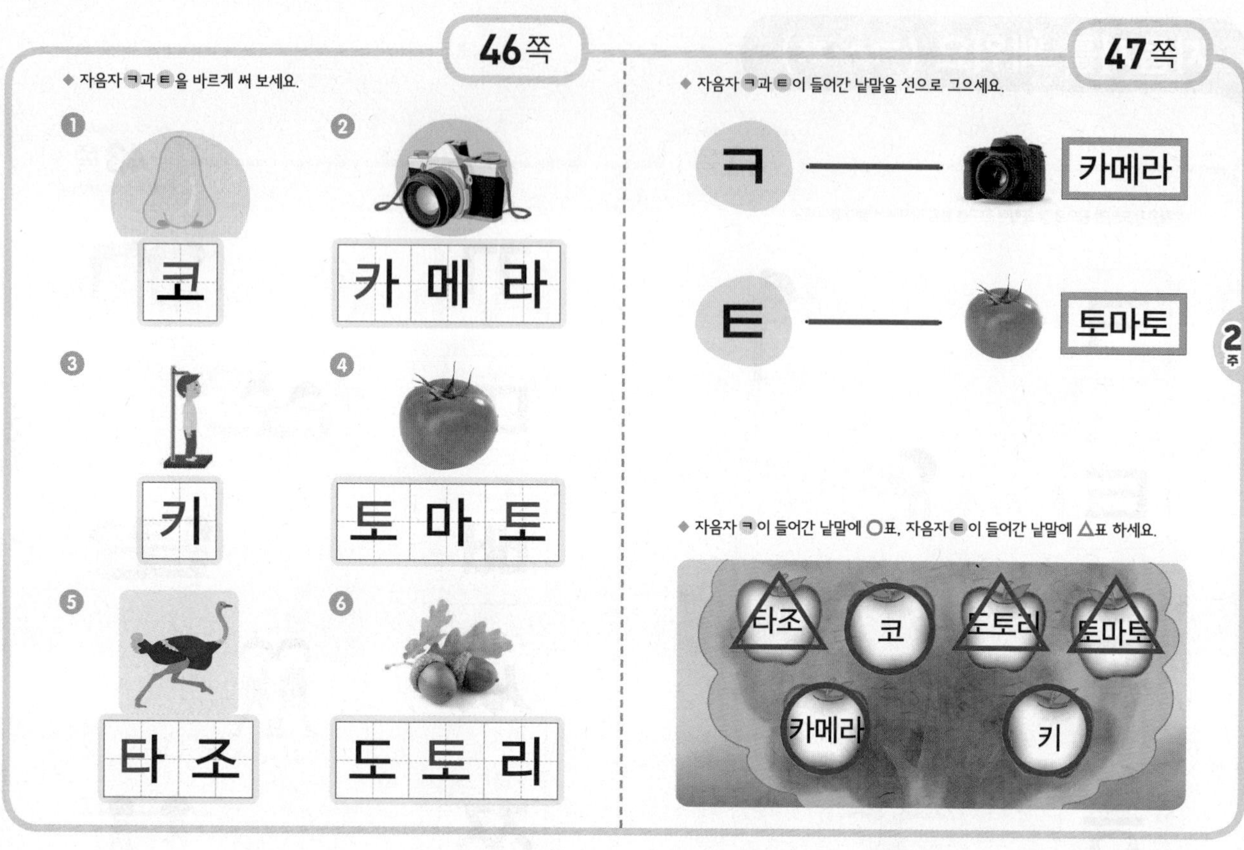
46쪽
◆ 자음자 ㅋ과 ㅌ을 바르게 써 보세요.
❶ 코
❷ 카 메 라
❸ 키
❹ 토 마 토
❺ 타 조
❻ 도 토 리
47쪽
◆ 자음자 ㅋ과 ㅌ이 들어간 낱말을 선으로 그으세요.
ㅋ
카메라
ㅌ
토마토
◆ 자음자 ㅋ이 들어간 낱말에 ○표, 자음자 ㅌ이 들어간 낱말에 △표 하세요.
타조
코
도토리
토마토
카메라
키

2일 모음자 ㅍ, ㅎ
48쪽
휴지
ㅎ
피아노
ㅍ
피자
ㅍ
포도
ㅍ
48 / 똑똑한 하루 어휘 / 한글
49쪽
◆ 자음자의 이름을 읽고, 써 보세요.
쓰기
읽기
피읖
ㅍ ㅍ ㅍ ㅍ
쓰기
읽기
히읗
ㅎ ㅎ ㅎ ㅎ

50쪽
◆ 자음자 ㅍ과 ㅎ을 바르게 써 보세요.
포 도
피 아 노
피 자
하 마
휴 지
호 두
51쪽
◆ 자음자 ㅍ과 ㅎ이 들어간 낱말을 선으로 그으세요.
ㅍ
ㅎ
하마
케이크
피아노
◆ 자음자 ㅍ이 들어간 낱말에 빨간색을, 자음자 ㅎ이 들어간 낱말에 노란색을 칠하세요.
피자
휴지
포도
호두
하마
피아노

3일 자음자 ㄲ, ㄸ
52쪽
자음자 ㄲ, ㄸ
빨간색으로 쓴 자음자를 붙임 딱지에서 찾아 붙이세요.
ㄲ
토끼
코끼리
ㄲ
땀
ㄸ
또래
ㄸ
53쪽
◆ 자음자의 이름을 읽고, 써 보세요.
쓰기
읽기
ㄲ
쌍기역
ㄲ ㄲ ㄲ ㄲ
쓰기
읽기
ㄸ
쌍디귿
ㄸ ㄸ ㄸ ㄸ

정답과 풀이

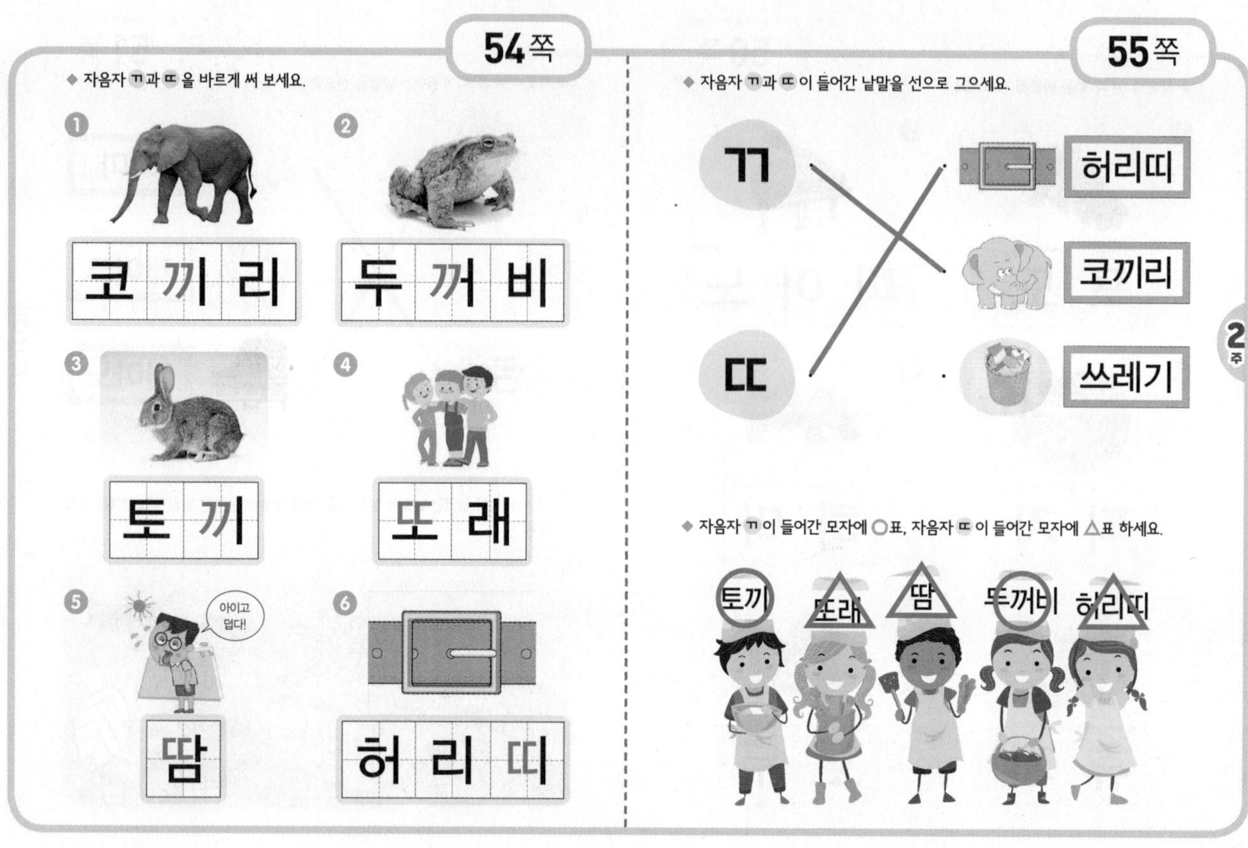
54쪽
◆ 자음자 ㄲ과 ㄸ을 바르게 써 보세요.
코끼리
두꺼비
토끼
또래
아이고 덥다!
땀
허리띠
55쪽
◆ 자음자 ㄲ과 ㄸ이 들어간 낱말을 선으로 그으세요.
ㄲ
ㄸ
허리띠
코끼리
쓰레기
◆ 자음자 ㄲ이 들어간 모자에 ○표, 자음자 ㄸ이 들어간 모자에 △표 하세요.
토끼
또래
땀
두꺼비
허리띠

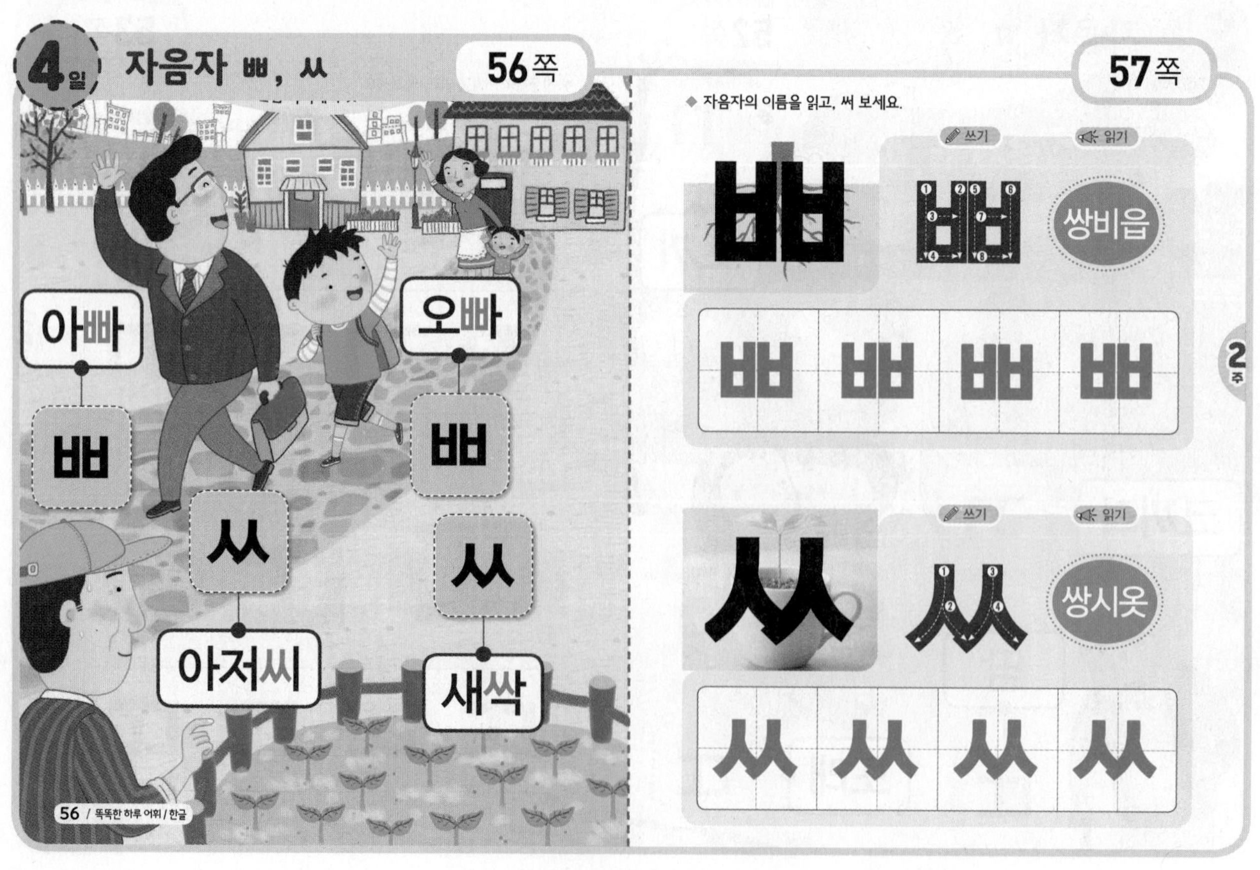
4일 자음자 ㅃ, ㅆ
56쪽
아빠
오빠
ㅃ
ㅆ
아저씨
새싹
56 / 똑똑한 하루 어휘 / 한글
57쪽
◆ 자음자의 이름을 읽고, 써 보세요.
쓰기
읽기
쌍비읍
쌍시옷

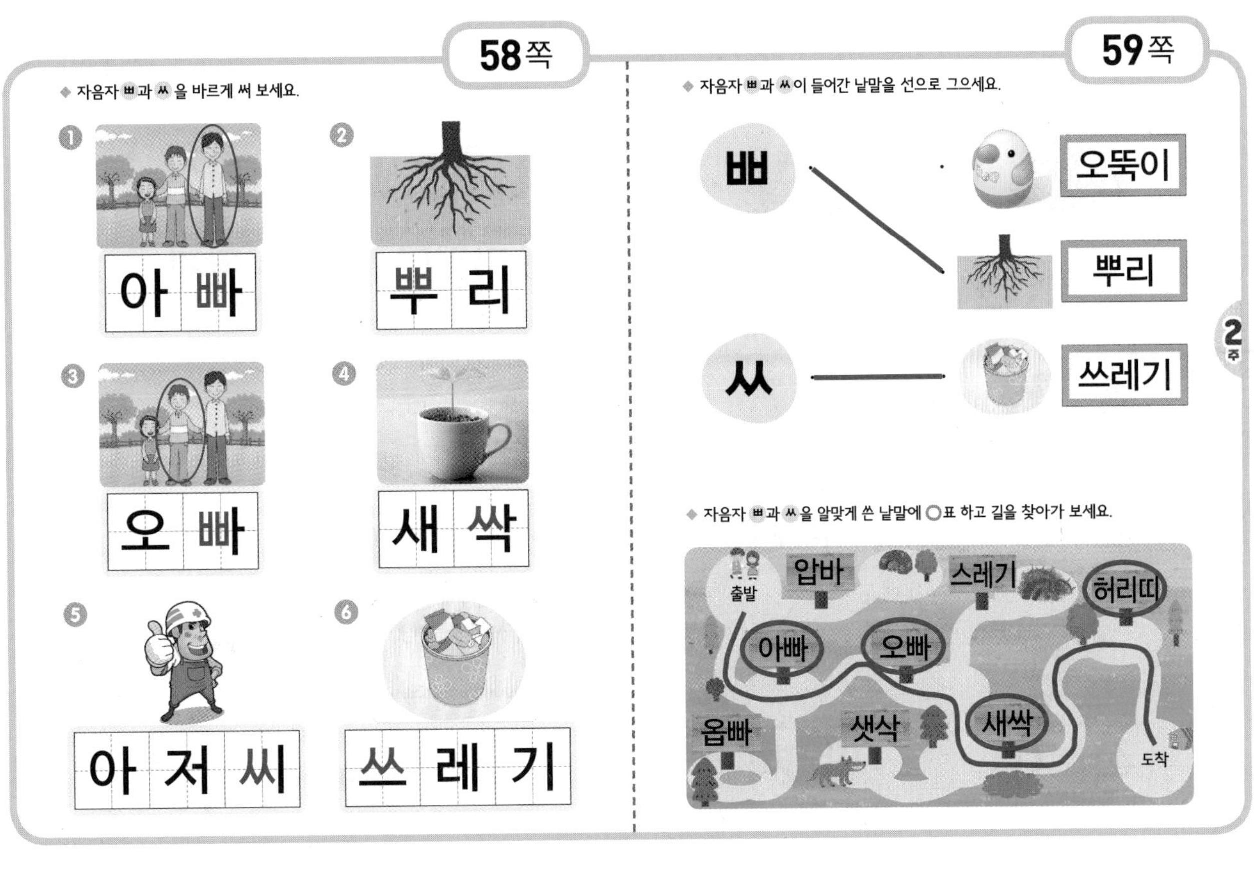
58쪽
◆ 자음자 ㅃ과 ㅆ을 바르게 써 보세요.
아빠
뿌리
오빠
새싹
아저씨
쓰레기
59쪽
◆ 자음자 ㅃ과 ㅆ이 들어간 낱말을 선으로 그으세요.
ㅃ
ㅆ
오뚝이
뿌리
쓰레기
◆ 자음자 ㅃ과 ㅆ을 알맞게 쓴 낱말에 ○표 하고 길을 찾아가 보세요.
출발
압바
스레기
허리띠
아빠
오빠
옵빠
샛삭
새싹
도착

5일 자음자 ㅉ
60쪽
ㅉ
팔찌
짬뽕
짜장면
찐빵
61쪽
◆ 자음자의 이름을 읽고, 써 보세요.
쓰기
읽기
ㅉ
쌍지읒

62쪽
◆ 자음자 ㅉ을 바르게 써 보세요.
① 짜 장 면
② 짬 뽕
③ 찐 빵
④ 짝 꿍
⑤ 쪽 지
⑥ 팔 찌
63쪽
◆ 자음자 ㅉ이 들어가지 않은 낱말은 어느 것인가요? (③)
① 짬뽕
② 쪽지
③ 자장면
④ 팔찌
⑤ 찐빵
◆ 다음 낱말을 알맞게 고쳐 쓰세요.
(1) 잠뽕 → 짬뽕
(2) 쪽찌 → 쪽지
(3) 짜짱면 → 짜장면

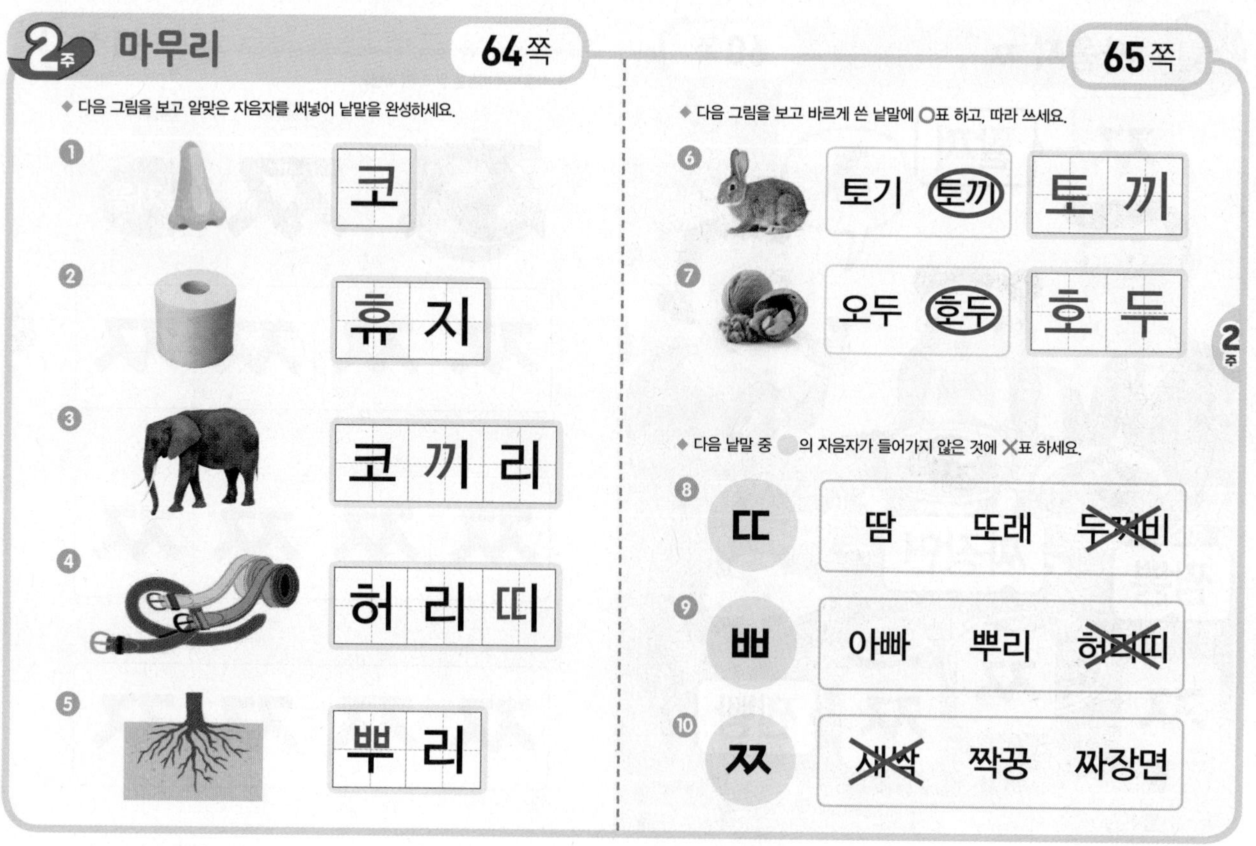
2주 마무리
64쪽
◆ 다음 그림을 보고 알맞은 자음자를 써넣어 낱말을 완성하세요.
① 코
② 휴 지
③ 코 끼 리
④ 허 리 띠
⑤ 뿌 리
65쪽
◆ 다음 그림을 보고 바르게 쓴 낱말에 ○표 하고, 따라 쓰세요.
⑥ 토기 토끼 토 끼
⑦ 오두 호두 호 두
◆ 다음 낱말 중 의 자음자가 들어가지 않은 것에 ×표 하세요.
⑧ ㄸ 땀 또래 두꺼비
⑨ ㅃ 아빠 뿌리 허리띠
⑩ ㅉ 새싹 짝꿍 짜장면

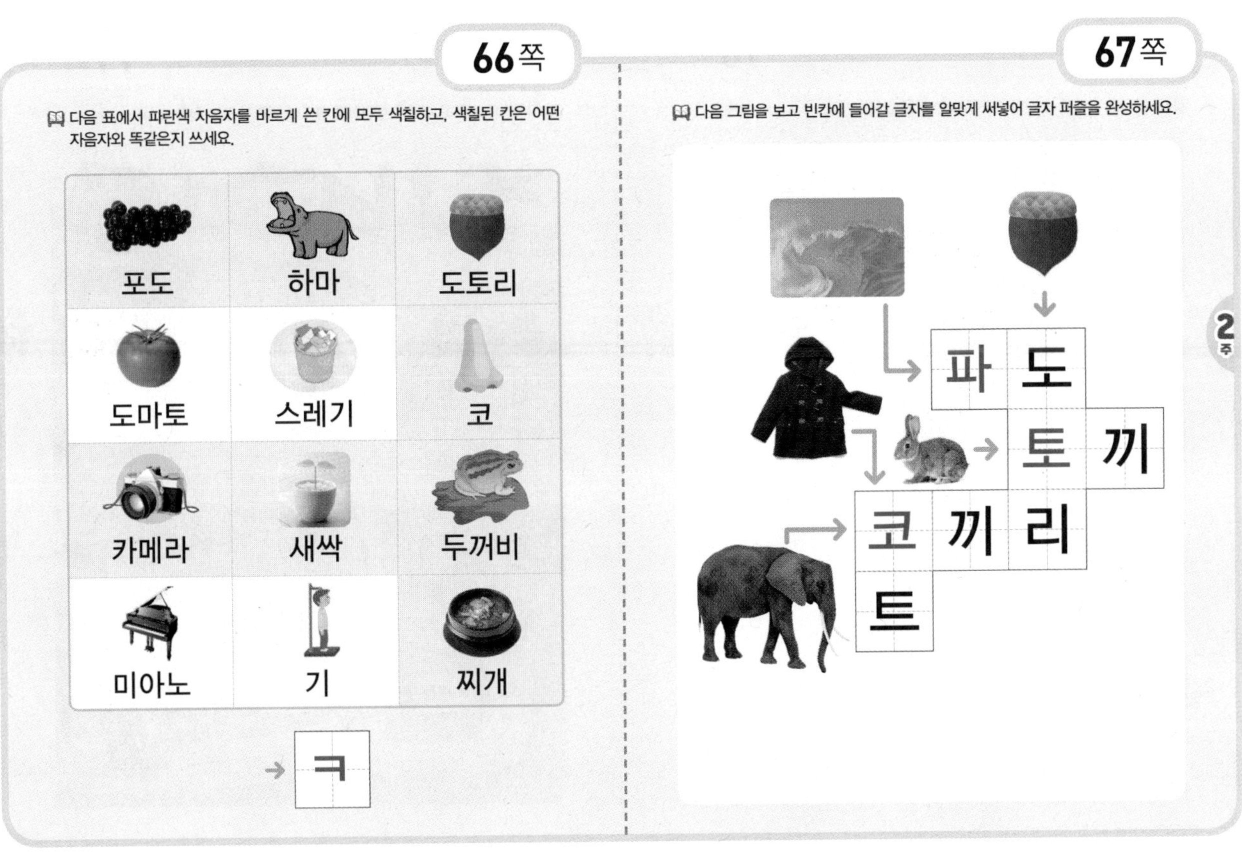
66쪽
다음 표에서 파란색 자음자를 바르게 쓴 칸에 모두 색칠하고, 색칠된 칸은 어떤 자음자와 똑같은지 쓰세요.
포도
하마
도토리
도마토
스레기
코
카메라
새싹
두꺼비
미아노
기
찌개
ㅋ
67쪽
다음 그림을 보고 빈칸에 들어갈 글자를 알맞게 써넣어 글자 퍼즐을 완성하세요.
파 도
토 끼
코 끼 리
트

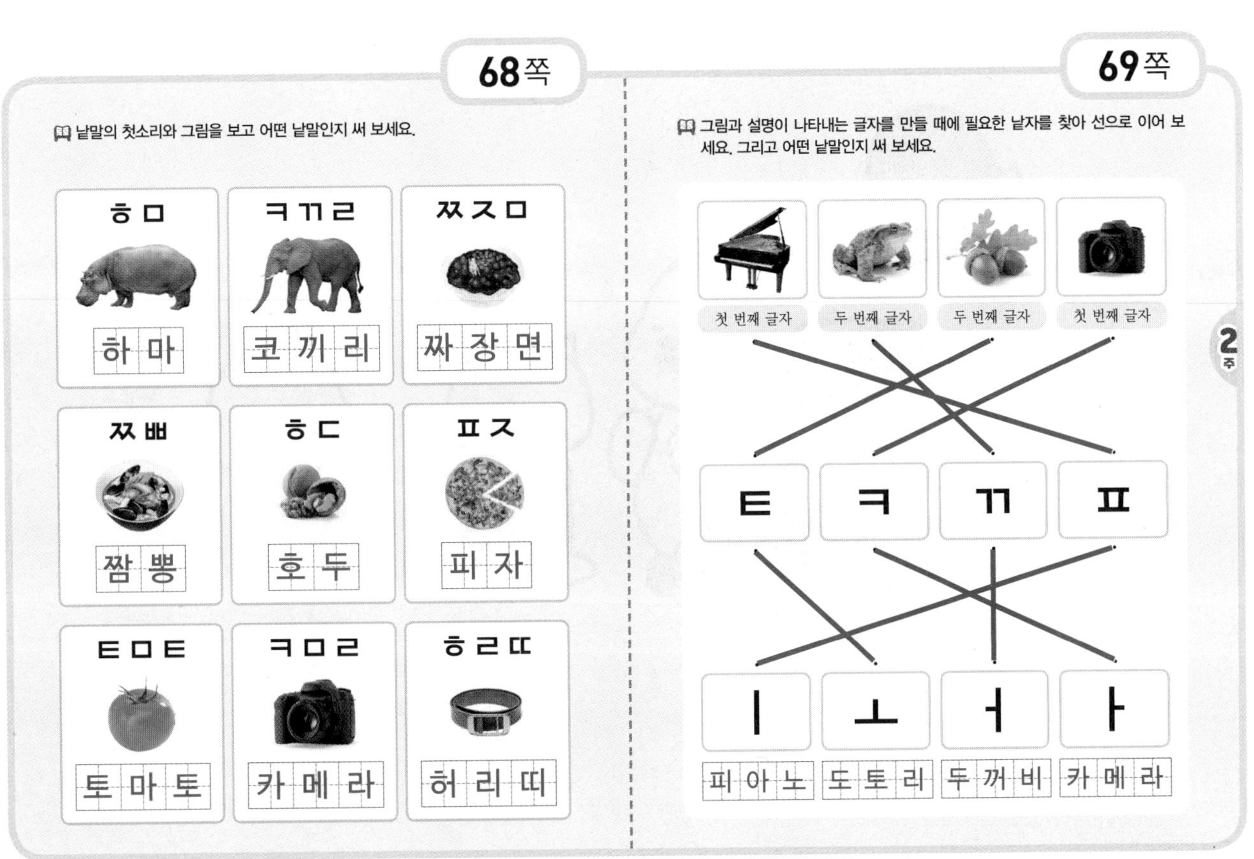
68쪽
낱말의 첫소리와 그림을 보고 어떤 낱말인지 써 보세요.
ㅎㅁ
하 마
ㅋㄲㄹ
코 끼 리
ㅉㅈㅁ
짜 장 면
ㅉㅃ
짬 뽕
ㅎㄷ
호 두
ㅍㅈ
피 자
ㅌㅁㅌ
토 마 토
ㅋㅁㄹ
카 메 라
ㅎㄹㄸ
허 리 띠
69쪽
그림과 설명이 나타내는 글자를 만들 때에 필요한 낱자를 찾아 선으로 이어 보세요. 그리고 어떤 낱말인지 써 보세요.
첫 번째 글자
두 번째 글자
두 번째 글자
첫 번째 글자
ㅌ
ㅋ
ㄲ
ㅍ
ㅣ
ㅗ
ㅓ
ㅏ
피 아 노
도 토 리
두 꺼 비
카 메 라

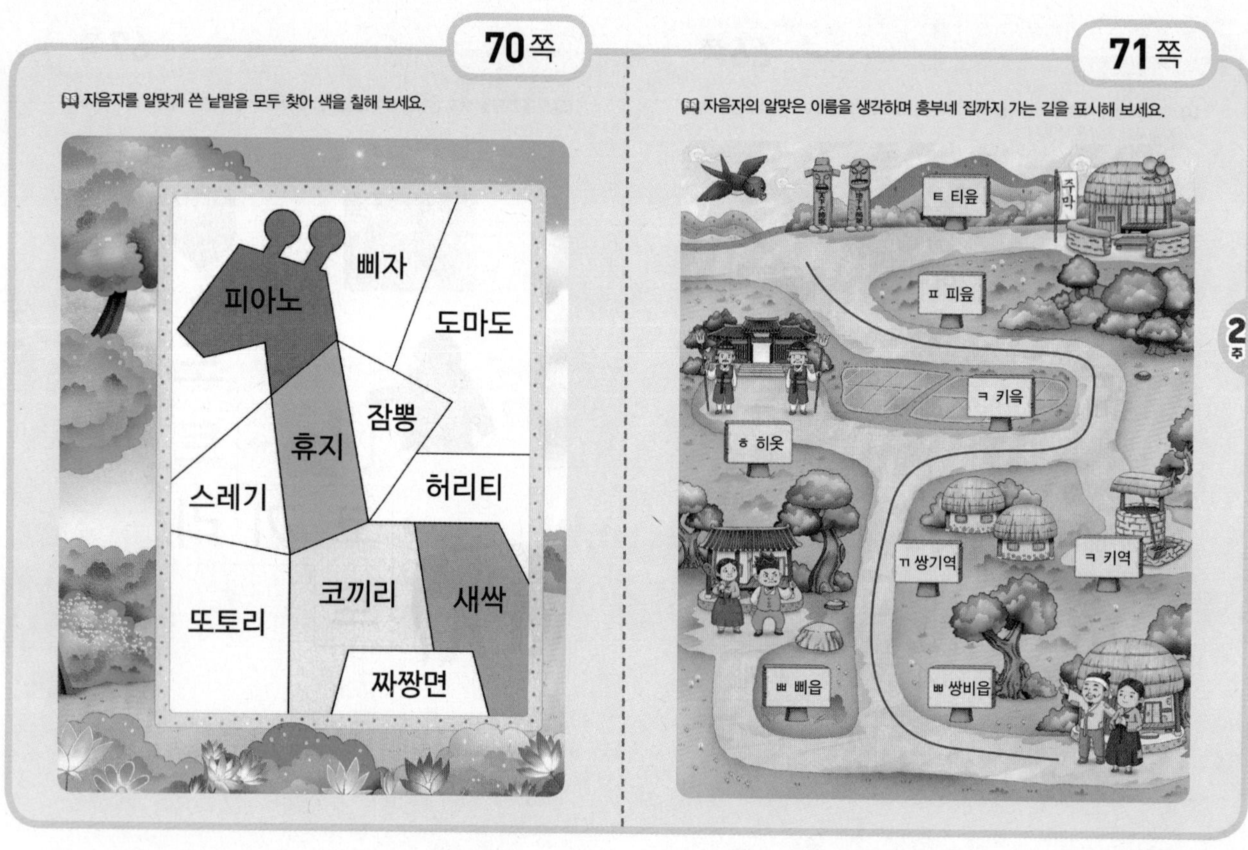
70쪽
자음자를 알맞게 쓴 낱말을 모두 찾아 색을 칠해 보세요.
피아노
삐자
도마도
잠뽕
휴지
스레기
허리티
코끼리
새싹
또토리
짜짱면
71쪽
자음자의 알맞은 이름을 생각하며 흥부네 집까지 가는 길을 표시해 보세요.
ㅌ 티읕
ㅍ 피읖
ㅋ 키읔
ㅎ 히읏
ㄲ 쌍기역
ㅋ 키역
ㅃ 삐읍
ㅃ 쌍비읍

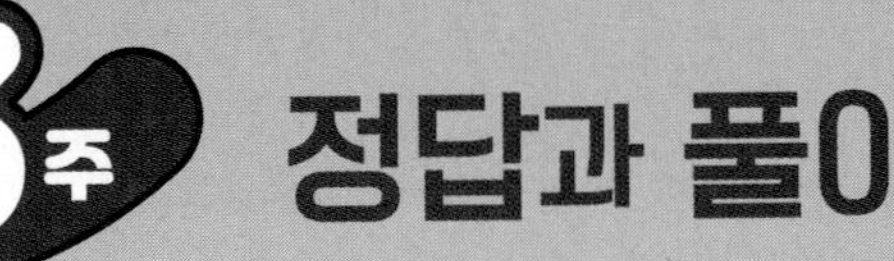

정답과 풀이

모음자를 배워요 (ㅏ~ㅣ)

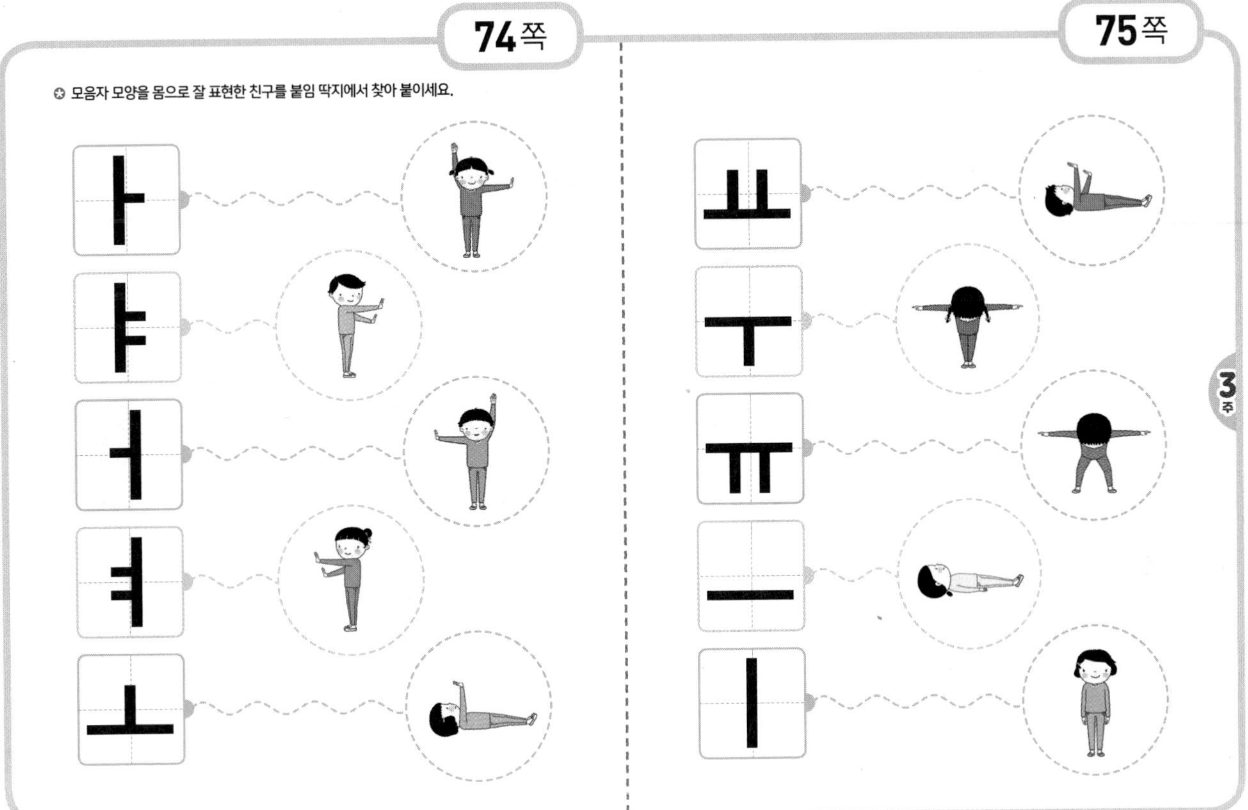

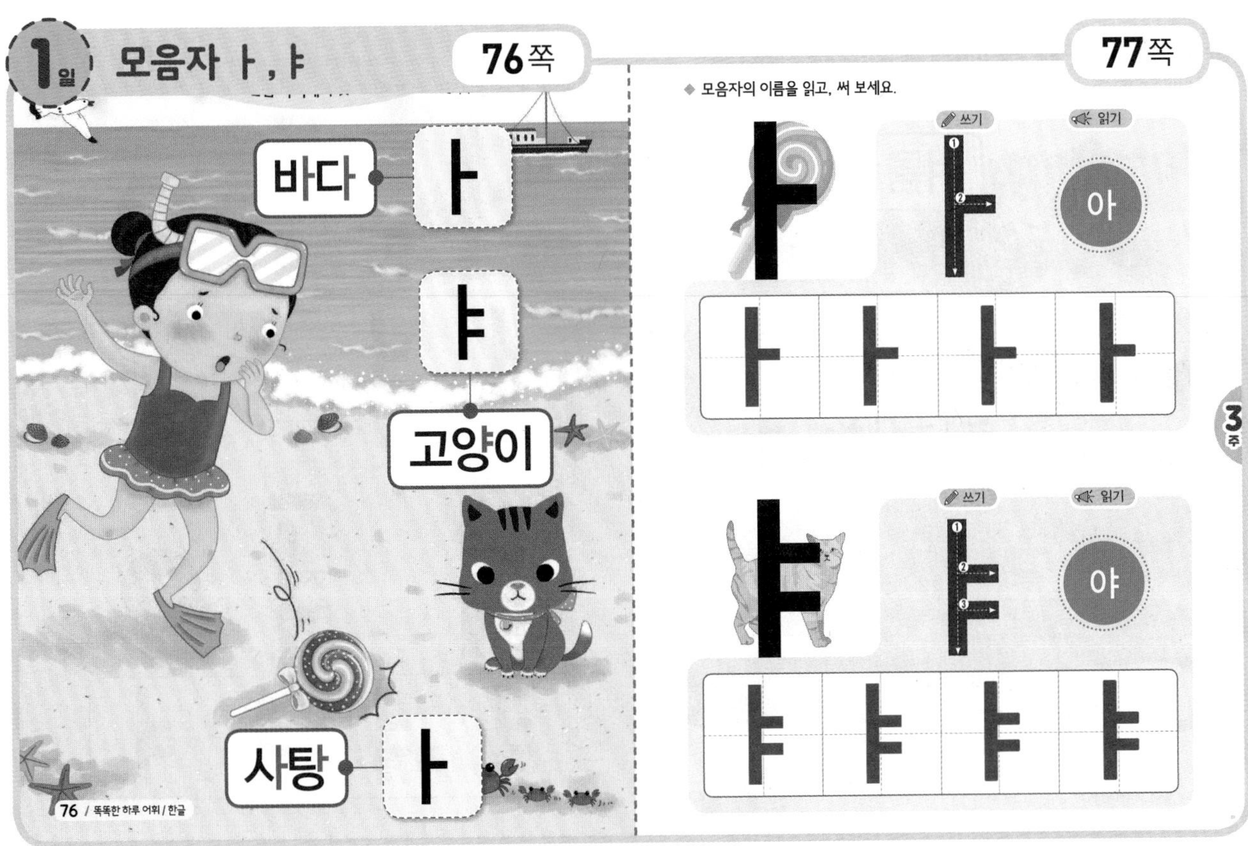

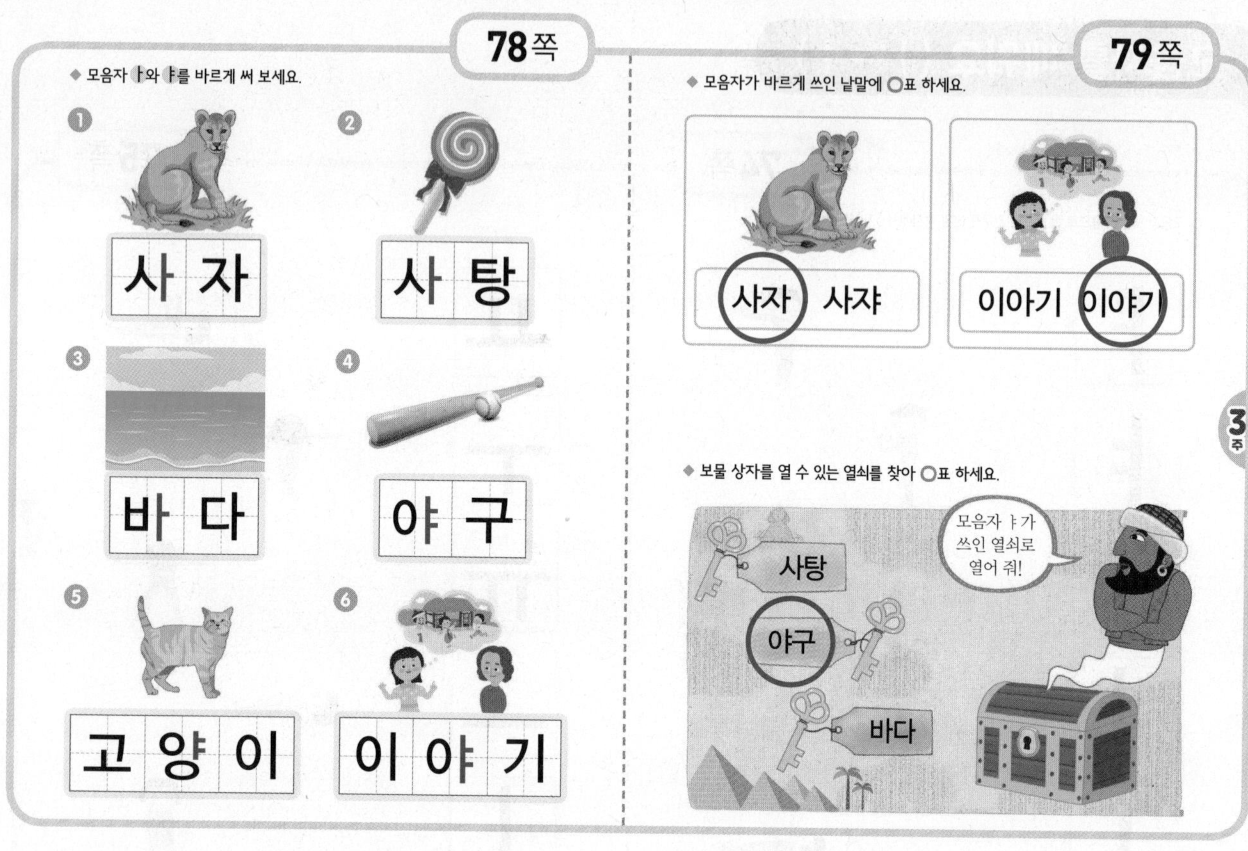
78쪽
◆ 모음자 ㅏ와 ㅑ를 바르게 써 보세요.
❶ 사자
❷ 사탕
❸ 바다
❹ 야구
❺ 고양이
❻ 이야기
79쪽
◆ 모음자가 바르게 쓰인 낱말에 ○표 하세요.
사자 사쟈
이아기 이야기
◆ 보물 상자를 열 수 있는 열쇠를 찾아 ○표 하세요.
모음자 ㅑ가 쓰인 열쇠로 열어 줘!
사탕
야구
바다

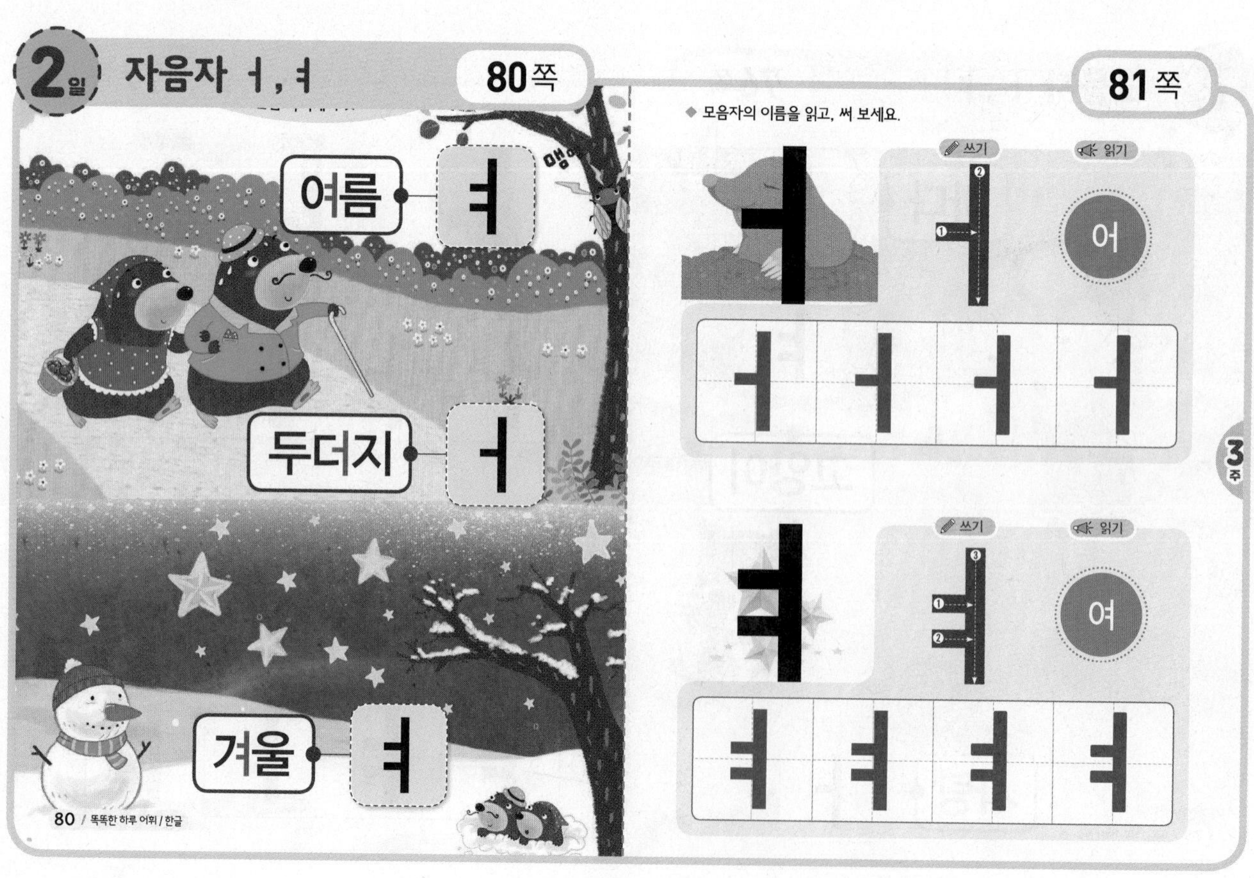
2일 자음자 ㅓ, ㅕ
80쪽
여름 ㅕ
두더지 ㅓ
겨울 ㅕ
80 / 똑똑한 하루 어휘 / 한글
81쪽
◆ 모음자의 이름을 읽고, 써 보세요.
쓰기 읽기
어
ㅓ ㅓ ㅓ ㅓ
쓰기 읽기
여
ㅕ ㅕ ㅕ ㅕ

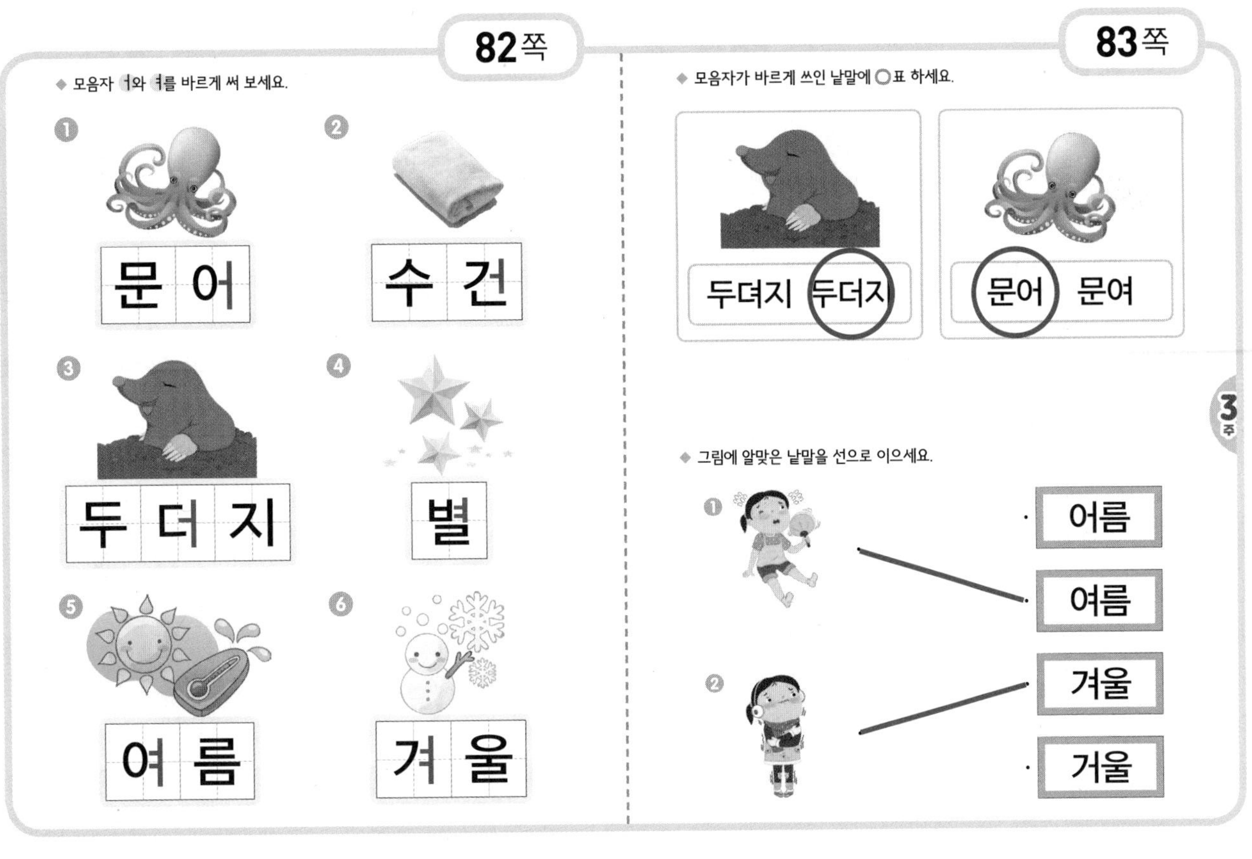
82쪽
◆ 모음자 ㅓ와 ㅕ를 바르게 써 보세요.
문 어
수 건
두 더 지
별
여 름
겨 울
83쪽
◆ 모음자가 바르게 쓰인 낱말에 ○표 하세요.
두뎌지 두더지
문어 문여
◆ 그림에 알맞은 낱말을 선으로 이으세요.
어름
여름
겨울
거울

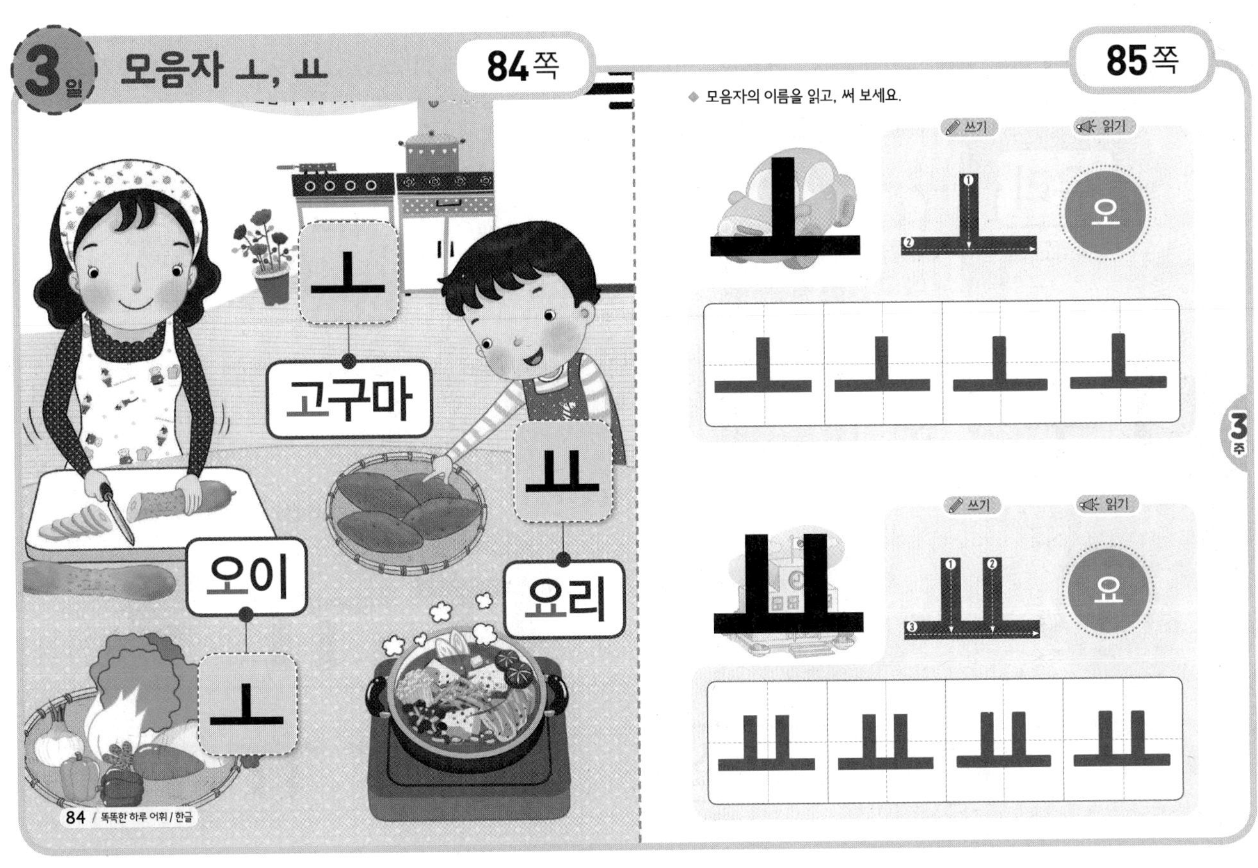
3일 모음자 ㅗ, ㅛ
84쪽
ㅗ
고구마
ㅛ
오이
요리
ㅗ
85쪽
◆ 모음자의 이름을 읽고, 써 보세요.
쓰기
읽기
오
요

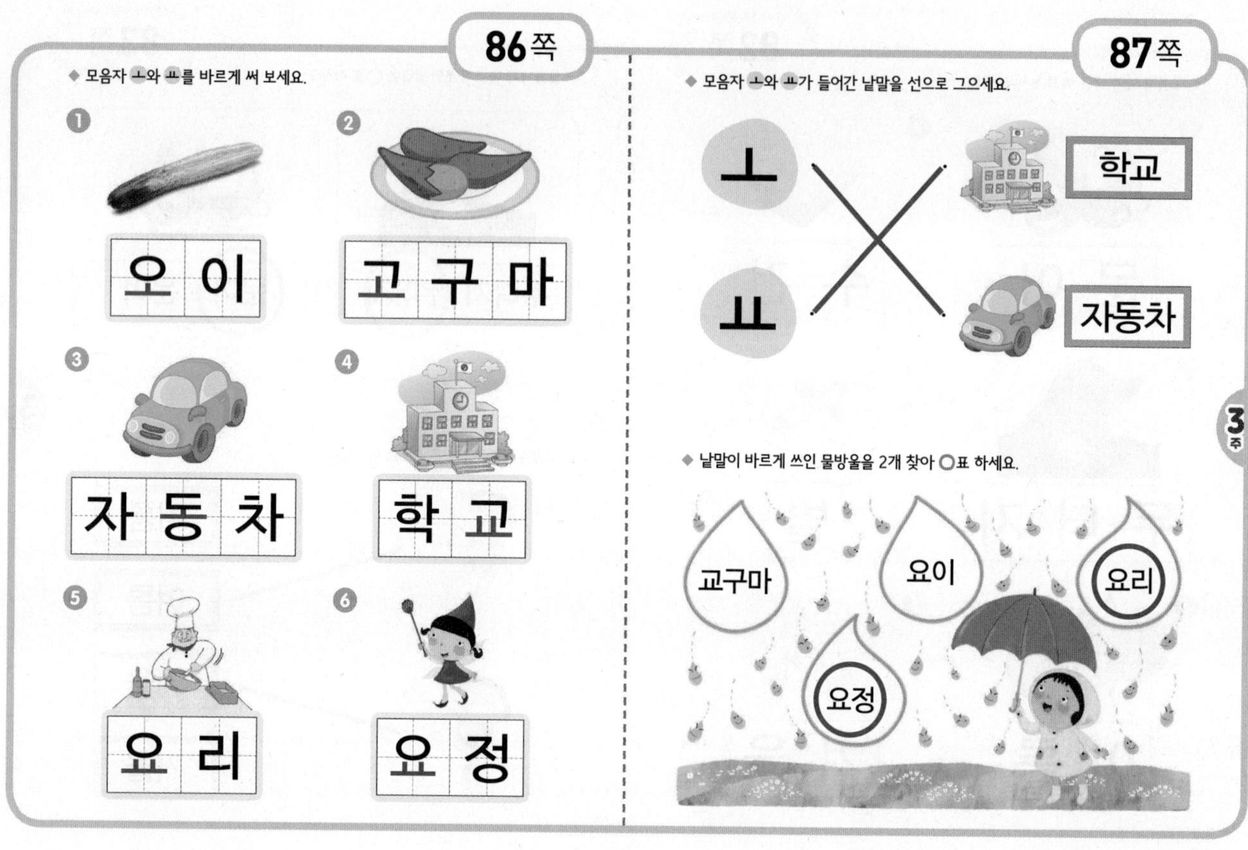
86쪽
◆ 모음자 ㅗ와 ㅛ를 바르게 써 보세요.
오이
고구마
자동차
학교
요리
요정
87쪽
◆ 모음자 ㅗ와 ㅛ가 들어간 낱말을 선으로 그으세요.
ㅗ
ㅛ
학교
자동차
◆ 낱말이 바르게 쓰인 물방울을 2개 찾아 ○표 하세요.
교구마
요이
요리
요정

4일 모음자 ㅜ, ㅠ
88쪽
유리
ㅠ
ㅜ
문
ㅜ
우산
88 / 똑똑한 하루 어휘 / 한글
89쪽
◆ 모음자의 이름을 읽고, 써 보세요.
쓰기
읽기
ㅜ
우
ㅠ
유

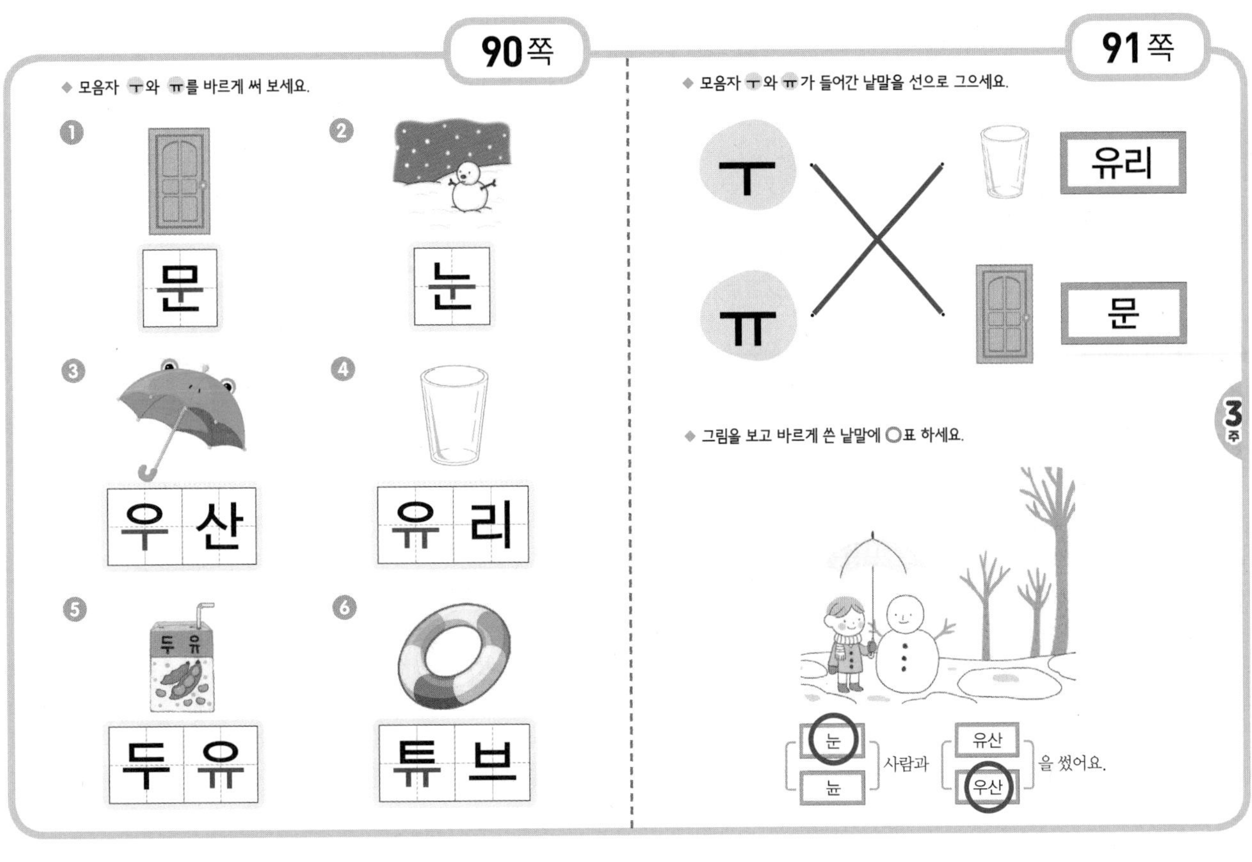
90쪽
◆ 모음자 ㅜ와 ㅠ를 바르게 써 보세요.
❶ 문
❷ 눈
❸ 우 산
❹ 유 리
❺ 두유
두 유
❻ 튜 브
91쪽
◆ 모음자 ㅜ와 ㅠ가 들어간 낱말을 선으로 그으세요.
ㅜ
ㅠ
유리
문
◆ 그림을 보고 바르게 쓴 낱말에 ○표 하세요.
눈
늎
사람과
유산
우산
을 썼어요.

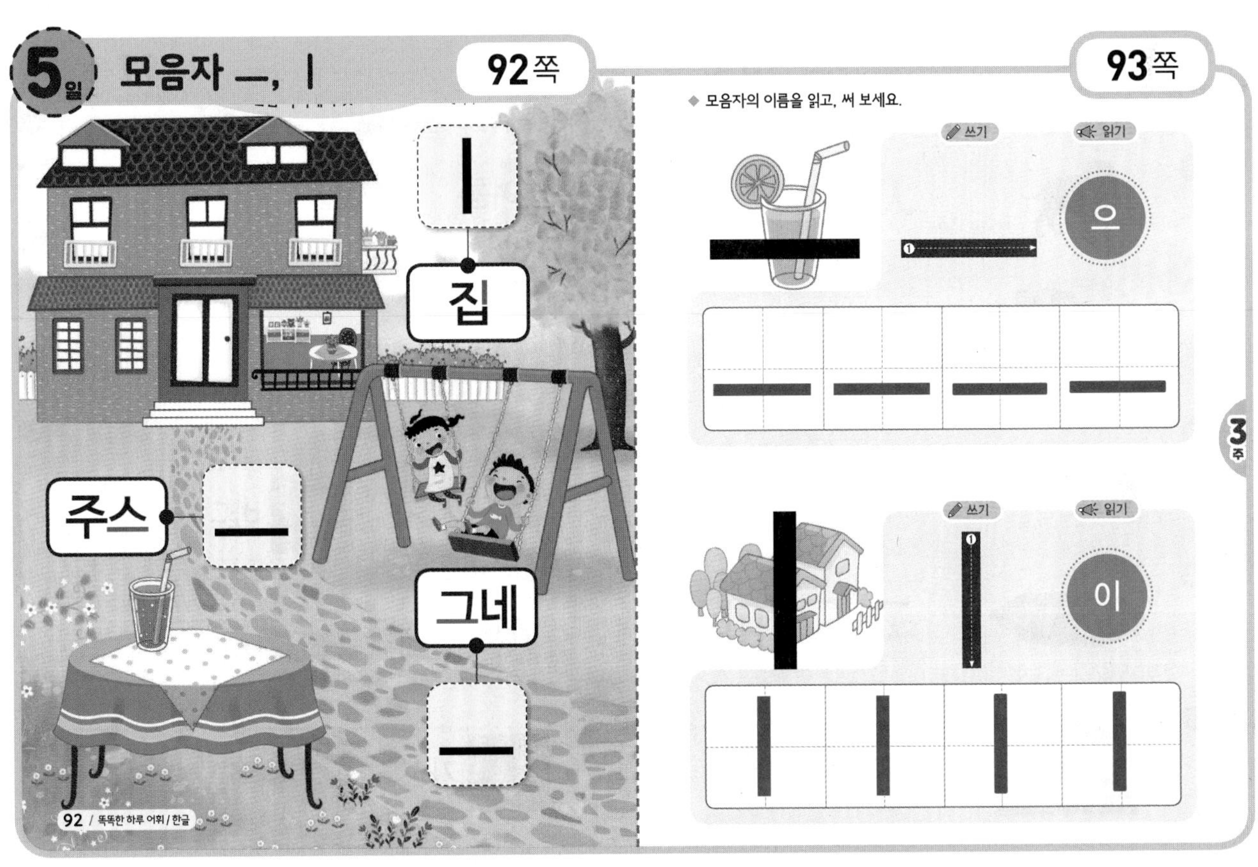
5일 모음자 ㅡ, ㅣ
92쪽
ㅣ
집
주스
ㅡ
그네
ㅡ
92 / 똑똑한 하루 어휘 / 한글
93쪽
◆ 모음자의 이름을 읽고, 써 보세요.
쓰기
읽기
으
이

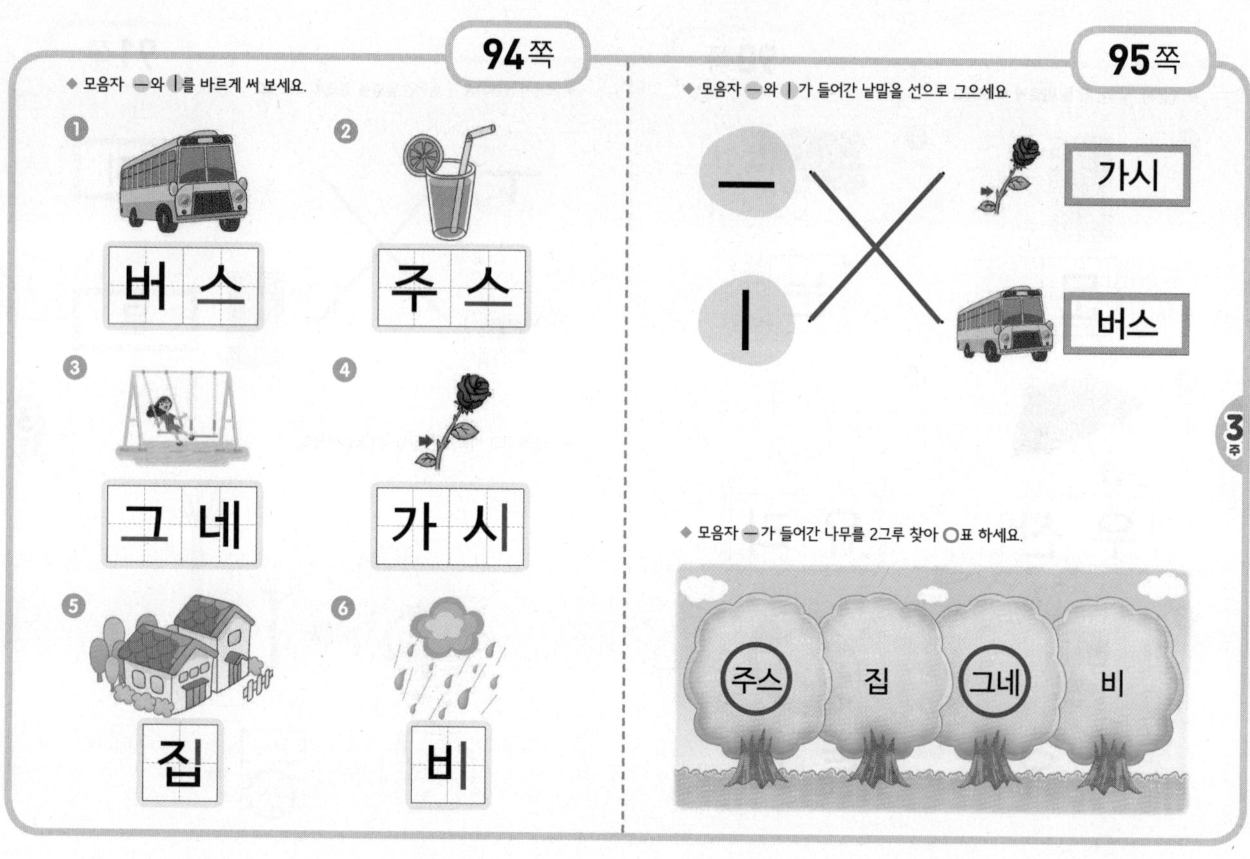
94쪽
◆ 모음자 ㅡ와 ㅣ를 바르게 써 보세요.
버스
주스
그네
가시
집
비
95쪽
◆ 모음자 ㅡ와 ㅣ가 들어간 낱말을 선으로 그으세요.
ㅡ
ㅣ
가시
버스
◆ 모음자 ㅡ가 들어간 나무를 2그루 찾아 ○표 하세요.
주스
집
그네
비

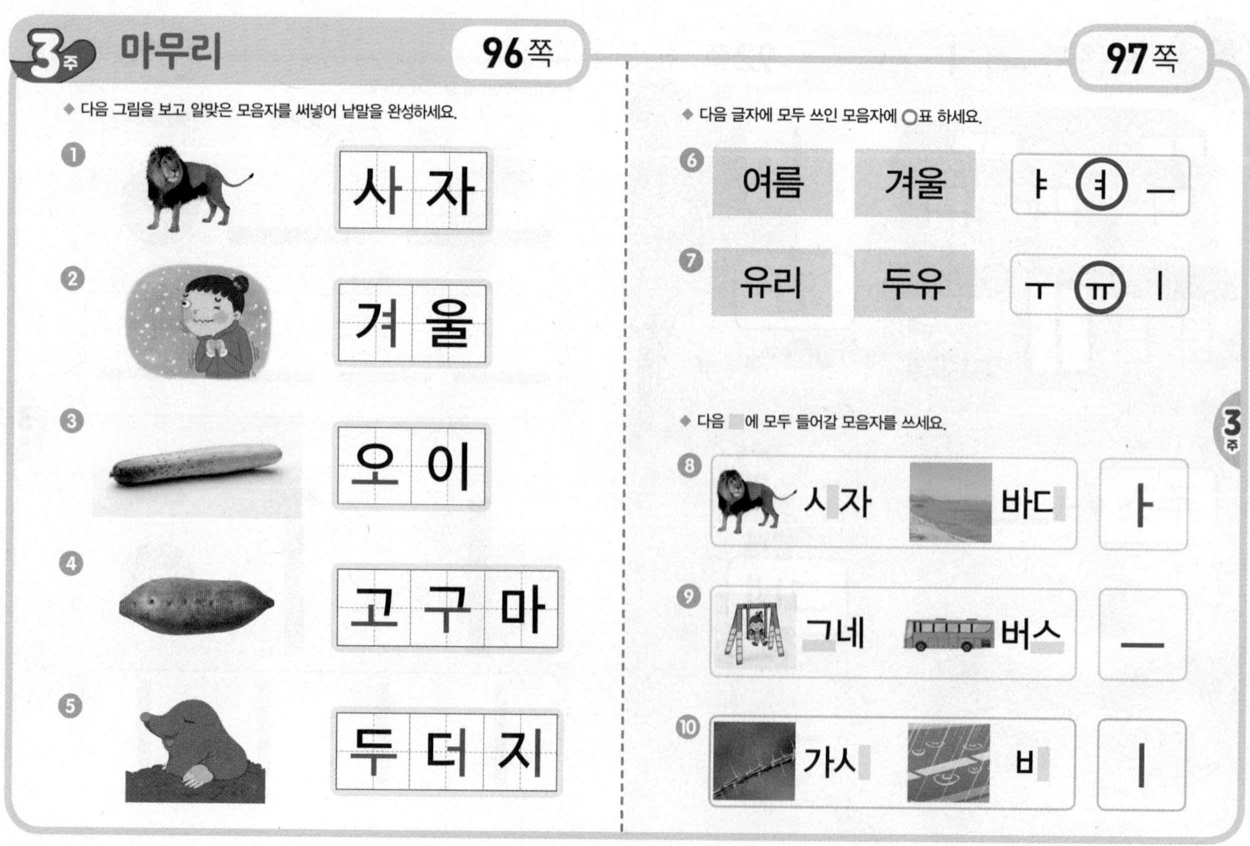
3주 마무리
96쪽
◆ 다음 그림을 보고 알맞은 모음자를 써넣어 낱말을 완성하세요.
사자
겨울
오이
고구마
두더지
97쪽
◆ 다음 글자에 모두 쓰인 모음자에 ○표 하세요.
여름 겨울 ㅑ ㅕ ㅡ
유리 두유 ㅜ ㅠ ㅣ
◆ 다음 에 모두 들어갈 모음자를 쓰세요.
사자 바다 ㅏ
그네 버스 ㅡ
가시 비 ㅣ

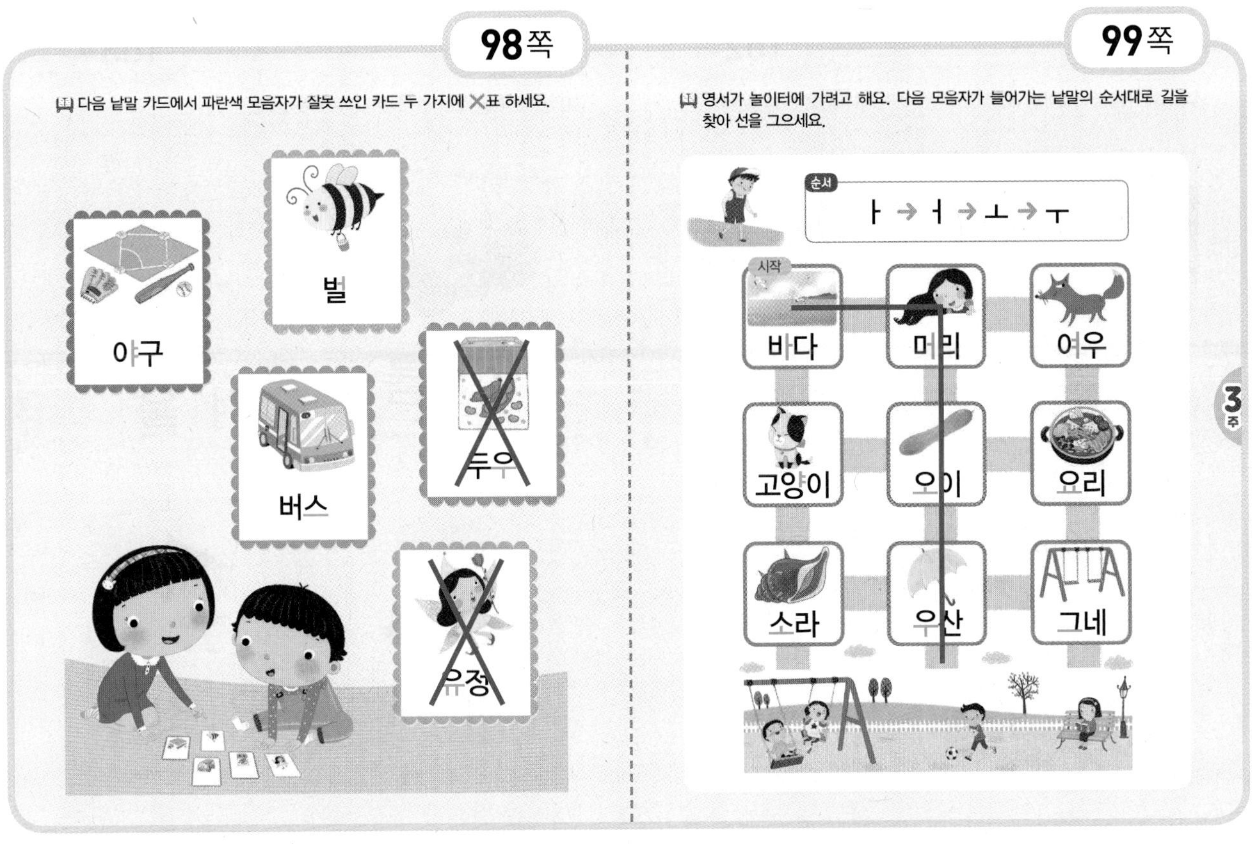
98쪽
다음 낱말 카드에서 파란색 모음자가 잘못 쓰인 카드 두 가지에 ✕표 하세요.
야구
벌
버스
두우
유정
99쪽
염서가 놀이터에 가려고 해요. 다음 모음자가 들어가는 낱말의 순서대로 길을 찾아 선을 그으세요.
순서
ㅏ → ㅓ → ㅗ → ㅜ
시작
바다
머리
여우
고양이
오이
요리
소라
우산
그네

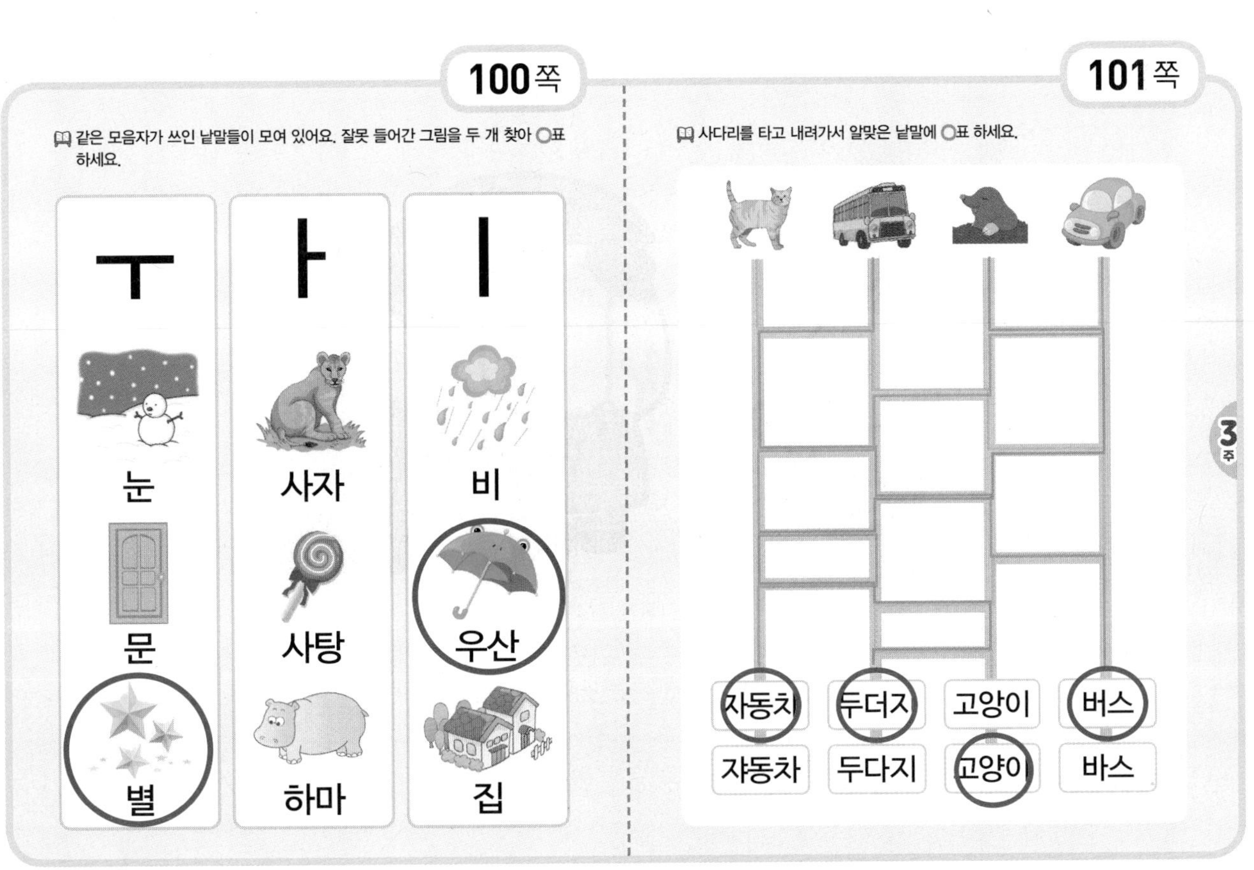
100쪽
같은 모음자가 쓰인 낱말들이 모여 있어요. 잘못 들어간 그림을 두 개 찾아 ○표 하세요.
ㅜ
ㅏ
ㅣ
눈
사자
비
문
사탕
우산
별
하마
집
101쪽
사다리를 타고 내려가서 알맞은 낱말에 ○표 하세요.
자동차
두더지
고양이
버스
쟈동차
두다지
고양이
바스

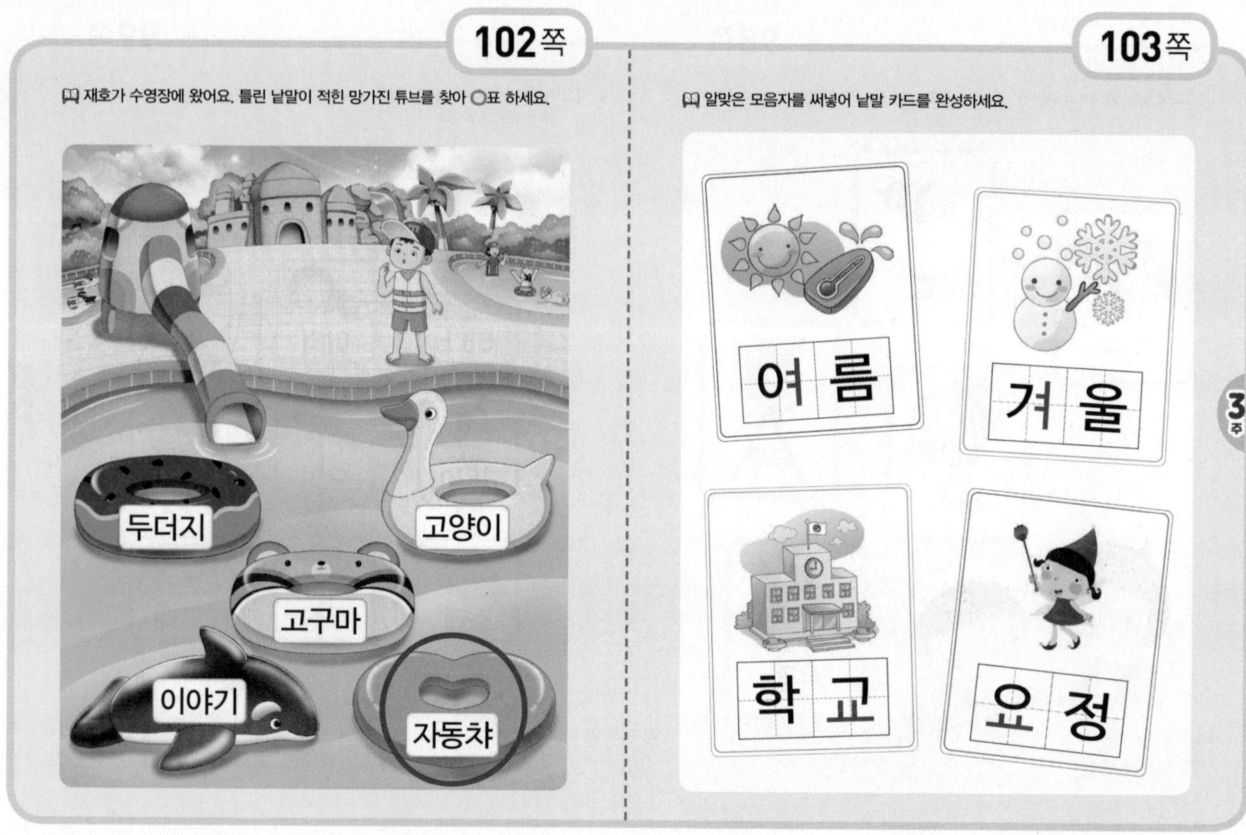
102쪽
재호가 수영장에 왔어요. 틀린 낱말이 적힌 망가진 튜브를 찾아 ○표 하세요.
두더지
고양이
고구마
이야기
자동챠
103쪽
알맞은 모음자를 써넣어 낱말 카드를 완성하세요.
여름
겨울
학교
요정

정답과 풀이

권 마무리

104쪽 105쪽

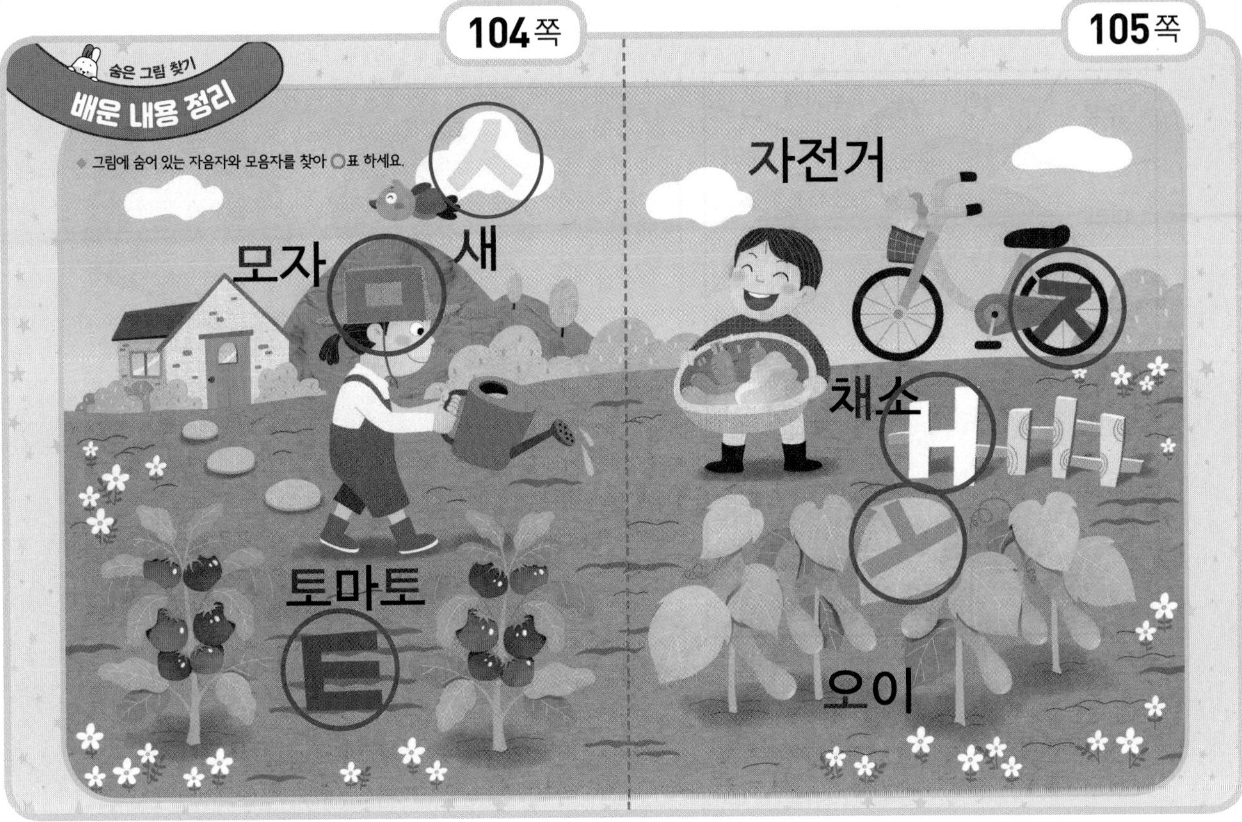

106쪽 107쪽

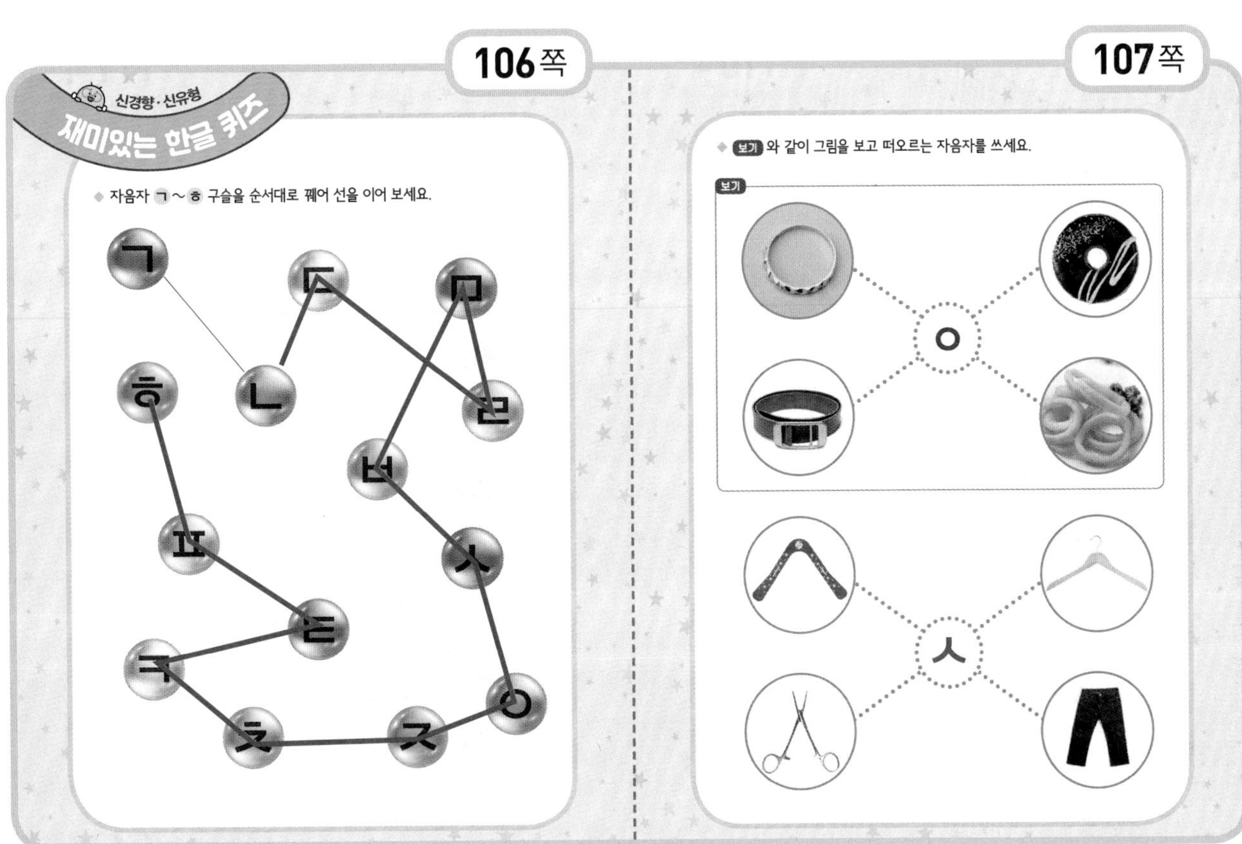

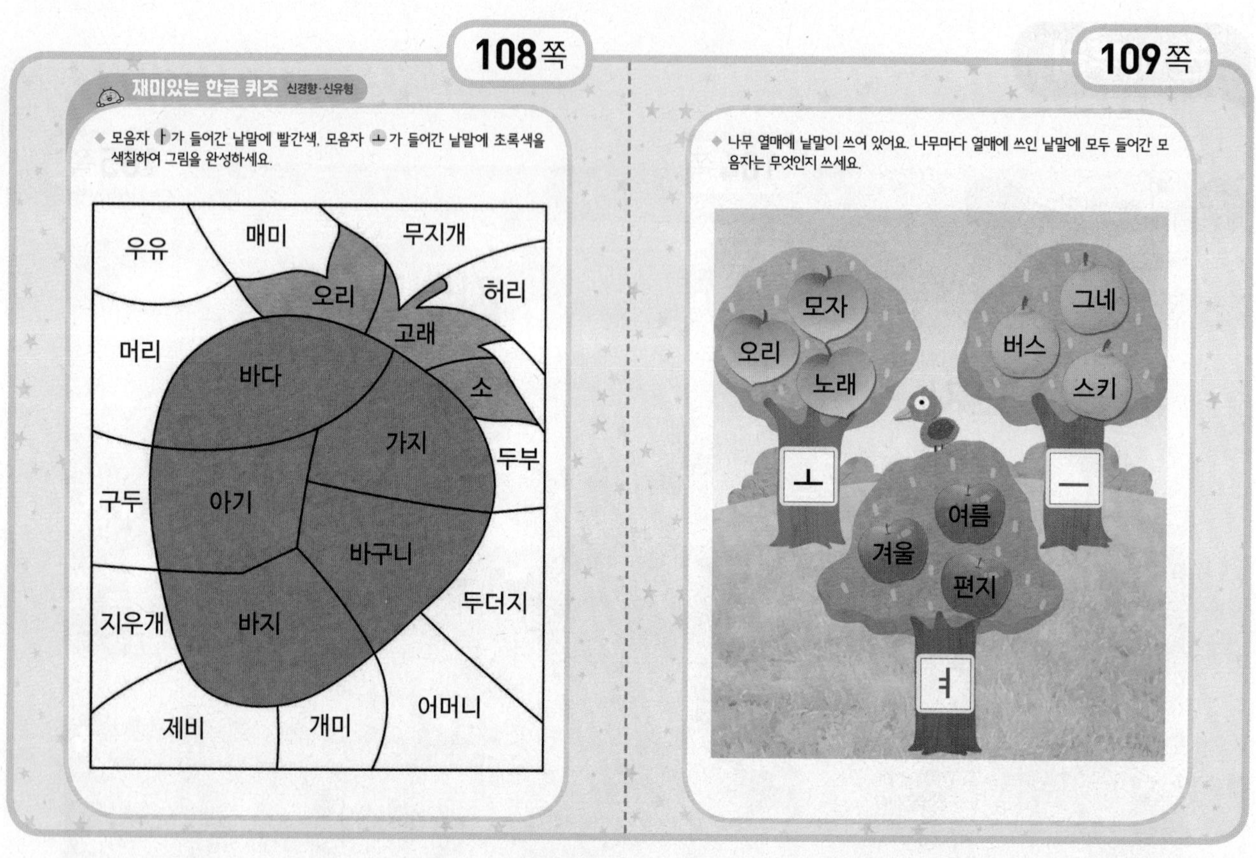
108쪽
재미있는 한글 퀴즈 신경향·신유형
모음자 ㅣ가 들어간 낱말에 빨간색, 모음자 ㅗ가 들어간 낱말에 초록색을 색칠하여 그림을 완성하세요.
우유
매미
무지개
오리
허리
고래
머리
바다
소
가지
두부
구두
아기
바구니
두더지
지우개
바지
어머니
제비
개미
109쪽
나무 열매에 낱말이 쓰여 있어요. 나무마다 열매에 쓰인 낱말에 모두 들어간 모음자는 무엇인지 쓰세요.
모자
오리
노래
그네
버스
스키
ㅗ
ㅡ
여름
겨울
편지
ㅕ

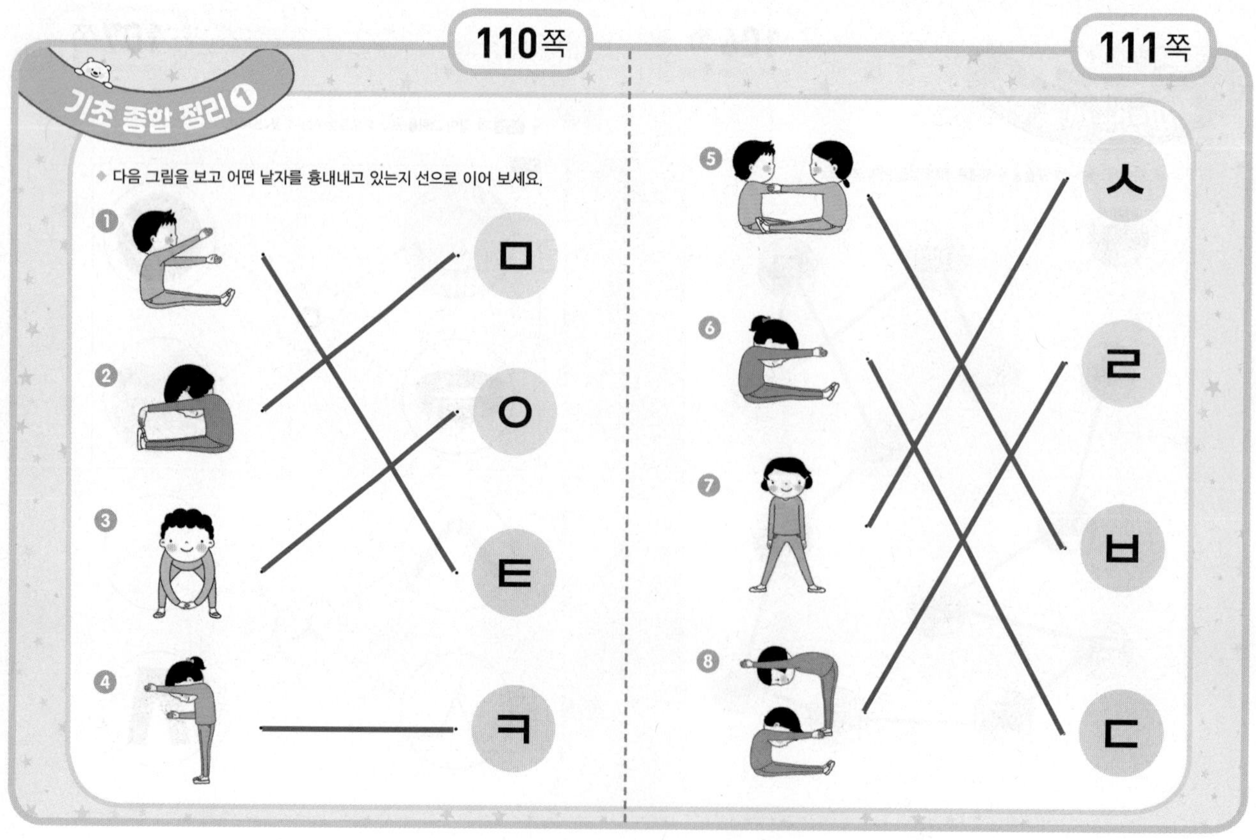
110쪽
기초 종합 정리 1
다음 그림을 보고 어떤 낱자를 흉내내고 있는지 선으로 이어 보세요.
1
2
3
4
ㅁ
ㅇ
ㅌ
ㅋ
111쪽
5
6
7
8
ㅅ
ㄹ
ㅂ
ㄷ

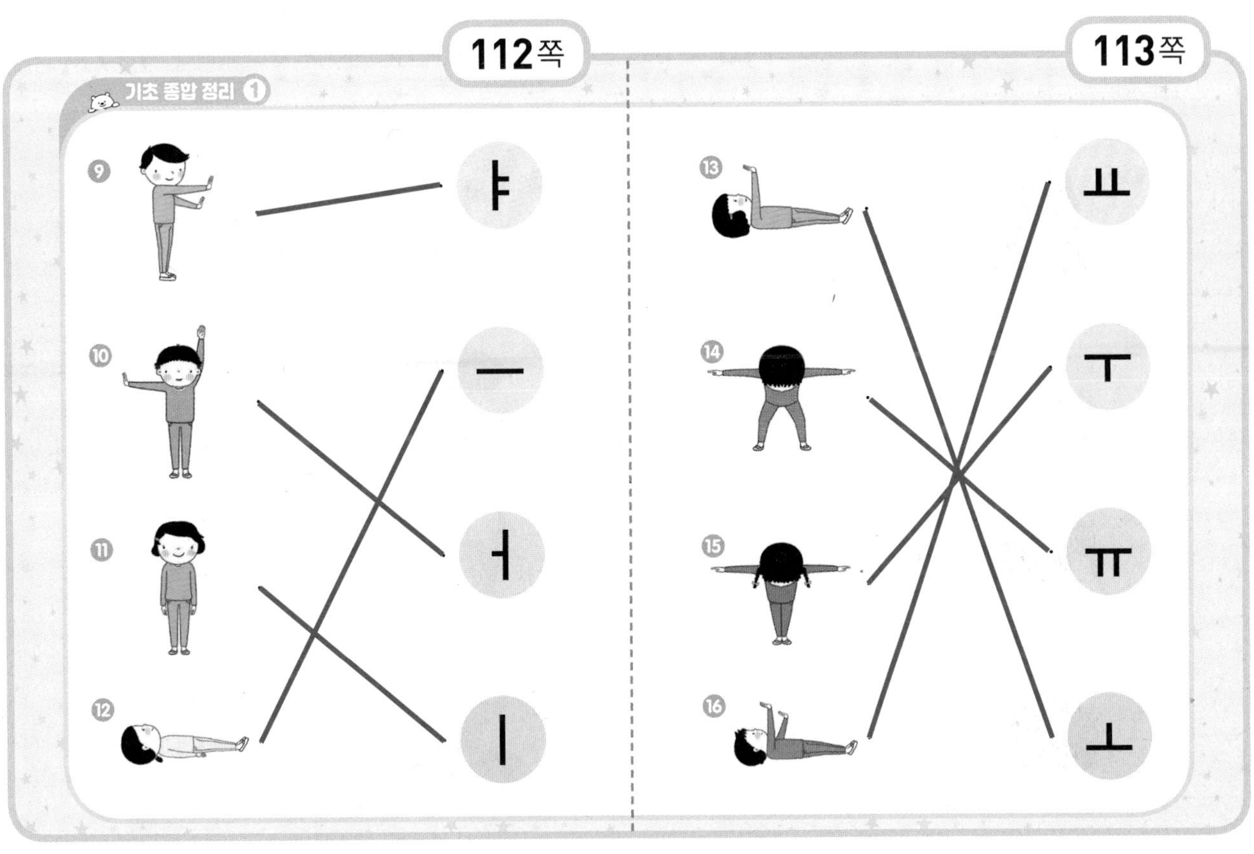
112쪽
113쪽
기초 종합 정리 ①
ㅑ
ㅡ
ㅓ
ㅣ
ㅛ
ㅜ
ㅠ
ㅗ

114쪽
115쪽
기초 종합 정리 ②
다음 그림을 보고 알맞은 자음자를 써넣어 낱말을 완성하세요.
피 자
지 도
도 토 리
케 이 크
다음 그림을 보고 알맞은 모음자를 써넣어 낱말을 완성하세요.
바 다
사 자
사 다 리
피 아 노

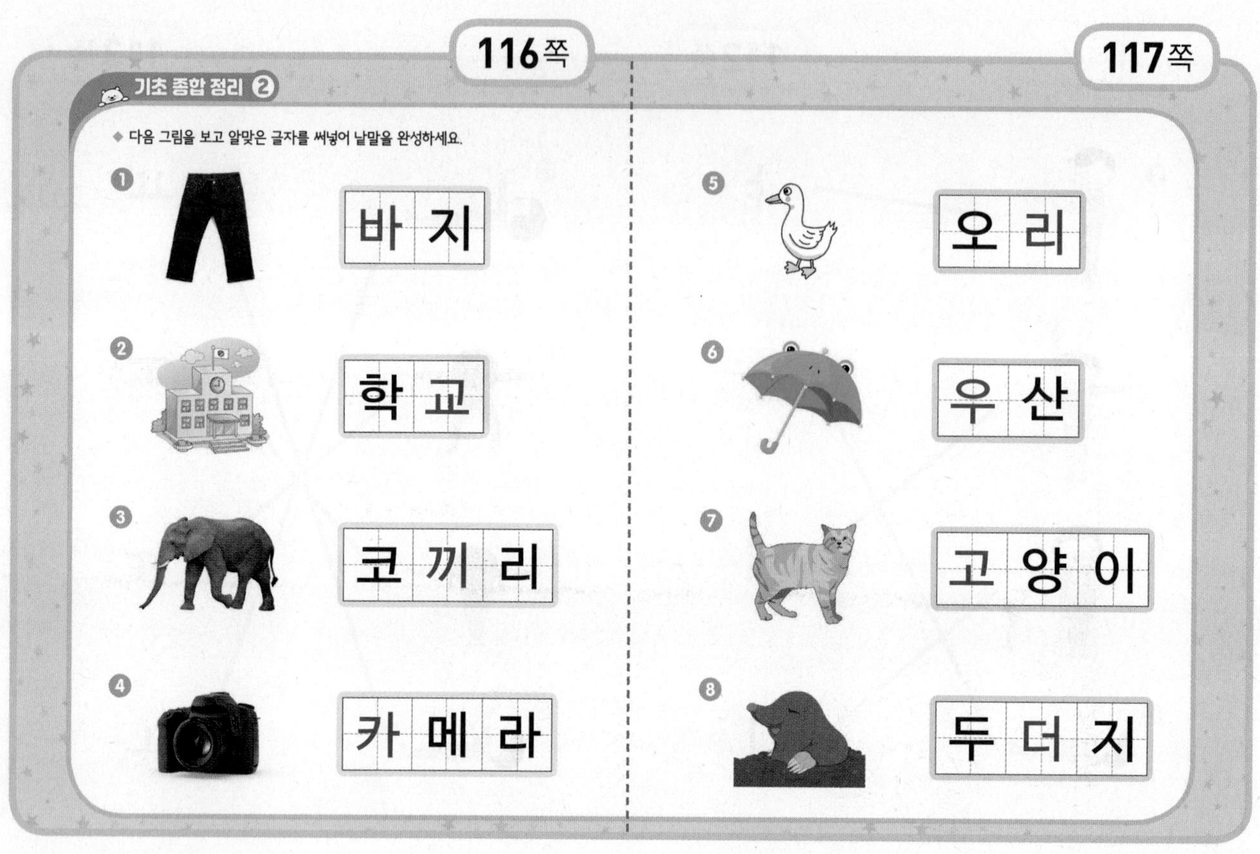
116쪽
117쪽
기초 종합 정리 2
◆ 다음 그림을 보고 알맞은 글자를 써넣어 낱말을 완성하세요.
1 바지
2 학교
3 코끼리
4 카메라
5 오리
6 우산
7 고양이
8 두더지

정답은
이안에
있어!

똑 똑 한

하루 어휘

한글 익히기

배움으로 행복한 내일을 꿈꾸는

천재교육 커뮤니티 안내

교재 안내부터 구매까지 한 번에!

천재교육 홈페이지

천재교육 홈페이지에서는 자사가 발행하는 참고서,
교과서에 대한 소개는 물론 도서 구매도 할 수 있습니다.
회원에게 지급되는 별을 모아 다양한 상품 응모에도
도전해 보세요.

구독, 좋아요는 필수! 핵유용 정보 가득한

천재교육 유튜브 <천재TV>

신간에 대한 자세한 정보가 궁금하세요?
참고서를 어떻게 활용해야 할지 고민인가요?
공부 외 다양한 고민을 해결해 줄 채널이 필요한가요?
학생들에게 꼭 필요한 콘텐츠로 가득한 천재TV로 놀러 오세요!

다양한 교육 꿀팁에 깜짝 이벤트는 덤!

천재교육 인스타그램

천재교육의 새롭고 중요한 소식을 가장 먼저 접하고 싶다면?
천재교육 인스타그램 팔로우가 필수!
누구보다 빠르고 재미있게 천재교육의 소식을 전달합니다.
깜짝 이벤트도 수시로 진행되니 놓치지 마세요!

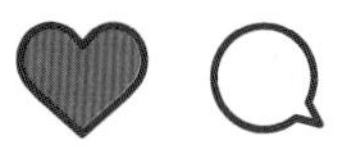